Oh Maria concebida sem pecado, rogai por nós que recorremos a Vós. Ámen.

ONZE MINUTOS

Obras de
PAULO COELHO
na Editora Pergaminho

O ALQUIMISTA
1.ª edição, Lisboa, 1990

◆

O DIÁRIO DE UM MAGO
1.ª edição, Lisboa, 1990

◆

BRIDA
1.ª edição, Lisboa, 1991

◆

AS VALQUÍRIAS
1.ª edição, Lisboa, 1993

◆

NA MARGEM DO RIO PIEDRA EU SENTEI E CHOREI
1.ª edição, Lisboa, 1994

◆

MAKTUB
1.ª edição, Lisboa, 1995

◆

O MONTE CINCO
1.ª edição, Lisboa, 1996

◆

MANUAL DO GUERREIRO DA LUZ
1.ª edição, Lisboa, 1997

◆

VERONIKA DECIDE MORRER
1.ª edição, Lisboa, 1999

◆

O DEMÓNIO E A SENHORITA PRYM
1.ª edição, Cascais, 2000

◆

ONZE MINUTOS
1.ª edição, Cascais, 2003

Paulo Coelho

ONZE MINUTOS

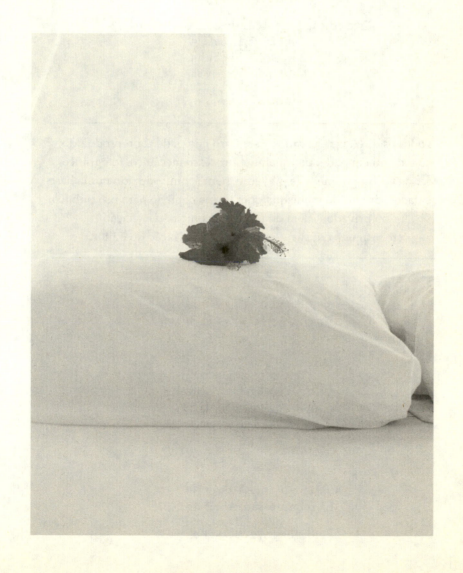

Pergaminho

ONZE MINUTOS
Paulo Coelho

copyright © 2003 *by* Paulo Coelho

Paulo Coelho Homepage
http://www.paulocoelho.com.br

Esta edição foi publicada com o acordo da
Sant Jordi Asociados,
Barcelona, Espanha.
All rights reserved

VENDA INTERDITA NO BRASIL

Direitos reservados para
a língua portuguesa (Portugal) à
Editora *Pergaminho*, Lda.
Cascais – Portugal

1.ª edição, Abril de 2003
1.ª reimpressão, Abril de 2003

ISBN 972-711-511-X

DEDICATÓRIA

No dia 29 de Maio de 2002, horas antes de eu colocar um ponto final neste livro, fui à Gruta de Lourdes, em França, encher alguns garrafões de água milagrosa na fonte que ali se encontra. Já dentro dos terrenos da catedral, um homem de aproximadamente 70 anos disse-me: "Sabe que se parece com o Paulo Coelho?" Eu respondi que era o próprio. O homem abraçou-me e apresentou-me a mulher e a neta. Falou-me da importância dos meus livros na sua vida, concluindo: "Eles fazem-me sonhar."

Já ouvi esta frase várias vezes, e ela deixa-me sempre contente. Naquele momento, no entanto, fiquei muito assustado — porque sabia que Onze Minutos falava de um assunto delicado, contundente, chocante. Caminhei até à fonte, enchi os garrafões, voltei, perguntei-lhe onde morava (no norte de França, perto da Bélgica) e anotei o seu nome.

Este livro é dedicado a si, Maurice Gravelines. Tenho uma obrigação para consigo, para com a sua mulher, para com a sua neta, e para comigo; falar daquilo que me preocupa, e não do que todos gostariam de ouvir. Alguns livros fazem-nos sonhar, outros trazem-nos a realidade, mas nenhum pode fugir daquilo que é mais importante para um autor: a honestidade para com o que escreve.

Apareceu então certa mulher, conhecida na cidade como pecadora. Ela, sabendo que Jesus estava à mesa em casa do fariseu, levou um frasco de alabastro com perfume. A mulher colocou-se por trás, chorando aos pés de Jesus; com as lágrimas começou a banhar-Lhe os pés. Em seguida, enxugava-os com os cabelos, cobria-os de beijos e ungia-os com perfume. Vendo isso, o fariseu que havia convidado Jesus pensou: "Se este homem fosse mesmo um profeta, saberia que tipo de mulher Lhe está a tocar, porque é pecadora."
Jesus disse então ao fariseu: "Simão, tenho uma coisa a dizer-te."
 Simão respondeu: "Fala, mestre."
"Certo credor tinha dois devedores. Um devia-lhe quinhentas moedas de prata e outro devia-lhe cinquenta. Como não tivessem com que pagar, o homem perdoou aos dois. Qual deles o amará mais?"
Simão respondeu: "Acho que é aquele a quem ele perdoou mais."
Jesus disse-lhe: "Julgaste bem."
Então Jesus voltou-Se para a mulher e disse a Simão:
"Vês esta mulher? Quando entrei em tua casa, não Me ofereceste água para lavar os pés; ela, porém, banhou-Me os pés com lágrimas e enxugou-os com os cabelos. Não Me deste o beijo de saudação; ela, porém, desde que entrei, não deixou de Me beijar os pés. Não derramaste óleo na Minha cabeça; ela, porém, ungiu-Me os pés com perfume. Por essa razão, Eu te declaro: os muitos pecados que ela cometeu estão perdoados, porque demonstrou muito amor. Aquele a quem foi perdoado pouco, demonstra pouco amor."

LUCAS, 7, 37-47

Porque eu sou a primeira e a última
Eu sou a venerada e a desprezada
Eu sou a prostituta e a santa
Eu sou a esposa e a virgem
Eu sou a mãe e a filha
Eu sou os braços da minha mãe
Eu sou a estéril, e os meus filhos são numerosos
Eu sou a bem casada e a solteira
Eu sou a que dá à luz e a que jamais procriou
Eu sou a consolação das dores do parto
Eu sou a esposa e o esposo,
    e foi o meu homem quem me criou
Eu sou a mãe do meu pai
Sou a irmã do meu marido,
    e ele é o meu filho rejeitado
Respeitem-me sempre
Porque eu sou a escandalosa e a magnífica

Hino a Ísis, século III ou IV (?), descoberto
em Nag Hammadi

Era uma vez uma prostituta chamada Maria.

Um momento. "Era uma vez" é a melhor maneira de começar uma história para crianças, enquanto "prostituta" é para adultos. Como posso escrever um livro com esta aparente contradição inicial? Mas enfim, como em cada instante das nossas vidas temos um pé nos contos de fadas e o outro no abismo, vamos manter este início:

Era uma vez uma prostituta chamada Maria.
Como todas as prostitutas, tinha nascido virgem e inocente, e durante a sua adolescência sonhara encontrar o homem da sua vida (rico, bonito, inteligente), casar (vestida de noiva), ter dois filhos (que seriam famosos quando crescessem) e viver numa linda casa (com vista para o mar). O seu pai era vendedor ambulante, a sua mãe costureira, a sua cidade no interior do Brasil tinha apenas um cinema, uma *boîte*, uma agência bancária, e por causa disso Maria não deixava de esperar o dia em que o seu príncipe encantado chegaria sem aviso, arrebataria o seu coração, e ela partiria com ele para conquistar o mundo.

Enquanto o príncipe encantado não aparecia, só lhe restava sonhar. Apaixonou-se pela primeira vez aos 11 anos, quando ia a pé da sua casa para a escola primária local. No primeiro dia de aulas, descobriu que não fazia sozinha o seu trajecto: junto dela caminhava um garoto que vivia na vizinhança, e frequentava as aulas no mesmo horário. Os dois nunca trocaram uma só palavra, mas Maria começou a notar que a parte do dia que mais lhe agradava era a daqueles momentos na estrada cheia de poeira, sede, cansaço, o Sol a pino, o menino a andar rapidamente, enquanto ela se esgotava no esforço de lhe acompanhar os passos.

A cena repetiu-se durante vários meses; Maria, que detestava estudar e não tinha outra distracção na vida excepto a televisão, começou a desejar que o dia passasse depressa, aguardando com ansiedade cada ida para a escola e, ao contrário do resto das meninas da sua idade, achando aborrecidíssimos os fins-de-semana. Já que as horas de uma criança demoram muito mais tempo a passar do que as de um adulto, ela sofria muito, achava os dias demasiado compridos porque lhe davam apenas dez minutos com o amor da sua vida, e milhares de outras horas para pensar nele, imaginando como seria bom se pudessem conversar.

Então aconteceu.

Certa manhã, o garoto dirigiu-se ela e pediu-lhe um lápis emprestado. Maria não respondeu, mostrou um certo ar de irritação por aquela abordagem inesperada, e apressou o passo. Tinha ficado petrificada de medo ao vê-lo aproximar-se tanto, tinha pavor de que soubesse quanto o amava, o quanto esperava por ele, como sonhava em agarrar na sua mão, passar diante do portão da escola, e seguir a estrada até ao fim, onde – diziam – se encontrava uma grande cidade, personagens de novelas, artistas, carros, muitos cinemas, e um sem-fim de coisas boas para se fazer.

Durante o resto do dia, não conseguiu concentrar-se nas aulas, sofrendo com o seu comportamento absurdo, mas ao mesmo tempo aliviada, porque sabia que o menino também tinha reparado nela, e o lápis não passava de um pretexto para iniciar uma conversa, pois, quando se aproximara ela reparou numa caneta no seu bolso. Ficou a aguardar a próxima vez, e durante aquela noite – e as noites que se seguiram – ela passou a imaginar as muitas respostas que lhe daria, até encontrar a maneira certa de começar uma história que não terminasse nunca.

Mas não houve uma próxima vez; embora continuassem a ir juntos para a escola, e às vezes Maria fosse alguns passos à frente segurando um lápis na mão direita, outras vezes andasse atrás para poder contemplá-lo com ternura, ele nunca mais lhe dirigiu qualquer palavra, e ela teve de contentar-se em amar e sofrer silenciosamente até ao fim do ano lectivo.

Durante as intermináveis férias que se seguiram, certa manhã acordou com as pernas banhadas em sangue, pensou que ia morrer; decidiu deixar uma carta ao menino dizendo que ele tinha sido o grande amor da sua vida, e planeou embrenhar-se no sertão para ser devorada por um daqueles animais selvagens que aterrorizavam os camponeses da região: o lobisomem ou a mula-sem-cabeça. Só assim os seus pais não sofreriam com a sua morte, pois os pobres têm sempre esperança, independentemente das tragédias que lhes acontecem, e pensariam que ela fora raptada por uma família rica e sem filhos, mas que talvez voltasse um dia, no futuro, cheia de glória e de dinheiro –

enquanto o actual (e eterno) amor da sua vida se lembraria dela para sempre, sofrendo em cada manhã por não ter voltado a dirigir-lhe a palavra.

Não chegou a escrever a carta, porque a sua mãe entrou no quarto, viu os lençóis vermelhos, sorriu, e disse:

– Agora és uma mulher, minha filha.

Quis saber que relação havia entre o facto de ser mulher e o sangue que corria, mas a mãe não soube explicar-lhe muito bem, afirmou apenas que era normal, e que de agora em diante teria de usar uma espécie de travesseiro de boneca entre as pernas, durante quatro ou cinco dias por mês. Perguntou se os homens usavam algum tubo para evitar que o sangue escorresse pelas calças, e soube que isso só acontecia às mulheres.

Maria protestou contra Deus, mas acabou por se habituar à menstruação. Entretanto, não conseguia habituar-se à ausência do menino, e não parava de se recriminar a si mesma pela atitude estúpida de fugir daquilo que mais desejava. Um dia antes de as aulas recomeçarem, ela foi à única igreja da sua cidade, e jurou à imagem de Santo António que iria tomar a iniciativa de conversar com o garoto.

No dia seguinte, arranjou-se da melhor maneira possível, usando um vestido que a mãe fizera especialmente para a ocasião, e saiu – agradecendo a Deus por as férias terem finalmente terminado. Mas o menino não apareceu. E assim se passou mais uma angustiante semana, até que soube, por alguns colegas, que ele tinha mudado de cidade.

– Foi para longe – disse alguém.

Nesse momento, Maria aprendeu que certas coisas se perdem para sempre. Aprendeu também que existia um lugar chamado "longe", que o mundo era vasto, a sua aldeia pequena, e as pessoas mais interessantes acabavam sempre por se ir embora. Gostaria também de poder partir, mas ainda era muito nova; mesmo assim, olhando as ruas empoeiradas da cidadezinha onde morava, decidiu que um dia seguiria os passos do menino. Nas nove sextas-feiras que se seguiram, conforme um costume da sua religião, comungou e pediu à Virgem Maria que um dia a tirasse dali.

Também sofreu durante algum tempo, tentando inutilmente encontrar a pista do garoto, mas ninguém sabia para onde os seus pais se tinham mudado. Maria, então, começou a achar o mundo demasiado grande, o amor algo muito perigoso, e a Virgem uma mulher que não ligava ao que as crianças pediam.

Três anos se passaram, ela aprendeu Geografia e Matemática, começou a acompanhar as novelas na televisão, leu na escola as suas primeiras revistas eróticas, e passou a escrever um diário falando da sua vida monótona, e da vontade que tinha de conhecer aquilo que lhe ensinavam nas aulas – oceano, neve, homens de turbante, mulheres elegantes e cobertas de jóias. Mas como ninguém pode viver de vontades impossíveis – principalmente quando a mãe é costureira e o pai trabalha na lavoura – logo percebeu que devia prestar mais atenção ao que se passava à sua volta. Estudava para vencer, ao mesmo tempo que procurava alguém com quem pudesse partilhar os seus sonhos de aventuras. Quando completou quinze anos, apaixonou-se por um rapaz que conhecera numa procissão na Semana Santa.

Não repetiu o erro da infância: conversaram, ficaram amigos, passaram a ir ao cinema e às festas juntos. Também notou que, da mesma forma que tinha acontecido com o menino, o amor estava mais associado à ausência do que à presença da pessoa: sentia a falta do rapaz,

passava horas a imaginar o que iria dizer no próximo encontro, e relembrava cada segundo que tinham estado
juntos, procurando descobrir o que tinha feito de certo
ou errado. Gostava de se ver a si mesma como uma rapariga experiente, que já deixara uma grande paixão escapar,
sabia a dor que isso causava – e agora estava decidida a
lutar com todas as suas forças por este homem, pelo casamento, que este seria o homem para o casamento, os filhos, a casa em frente ao mar. Foi conversar com a mãe,
que implorou:

– Ainda é muito cedo, minha filha.

– Mas a senhora casou-se com o meu pai quando tinha 16 anos.

A mãe não queria explicar que fora por causa de uma
gravidez inesperada, de modo que usou o argumento "os
tempos são outros", encerrando o assunto.

No dia seguinte, os dois foram caminhar por um cam-
po nos arredores da cidade. Conversaram um pouco,
Maria perguntou se ele não tinha vontade de viajar, mas,
em vez de responder, ele agarrou-a nos seus braços, e deu-
-lhe um beijo.

O primeiro beijo da sua vida! Como sonhara com
aquele momento! E a paisagem era especial – as garças
voavam, o pôr do Sol, a região semiárida com a sua beleza agressiva, o som de música ao longe. Maria fingiu reagir contra o avanço, mas logo o abraçou e repetiu aquilo
que vira tantas vezes no cinema, nas revistas e na televisão: esfregou com alguma violência os seus lábios nos dele,
mexendo a cabeça de um lado para o outro, num movimento meio ritmado, meio descontrolado. Sentiu que, de
vez em quando, a língua do rapaz tocava os seus dentes,
e achou aquilo delicioso.

Mas ele parou de beijá-la de repente.

– Tu não queres? – perguntou.

Que devia responder? Que queria? Claro que queria! Mas uma mulher não deve expor-se dessa maneira, principalmente face ao seu futuro marido, ou ele ficará o resto da vida desconfiado de que ela aceita tudo com muita facilidade. Preferiu não dizer nada.

Ele abraçou-a de novo, repetindo o gesto, desta vez com menos entusiasmo. Voltou a parar, vermelho – e Maria sabia que algo estava muito errado, mas tinha medo de perguntar. Deu-lhe a mão, e caminharam até à cidade, conversando sobre outros assuntos, como se nada tivesse acontecido.

Naquela noite, escolhendo algumas palavras difíceis porque achava que um dia tudo o que escrevera seria lido, e certa de que algo de muito grave se passara, anotou no seu diário:

> *Quando nos encontramos com alguém e nos apaixonamos, temos a impressão de que todo o Universo está de acordo; hoje eu vi isso acontecer no pôr do Sol. No entanto, se algo corre mal, não sobra nada! Nem as garças, nem a música ao longe, nem o sabor dos lábios dele. Como é que pode desaparecer tão rapidamente a beleza que ali estava há poucos minutos?*
>
> *A vida é muito veloz; faz-nos ir do céu ao inferno numa questão de segundos.*

No dia seguinte foi conversar com as amigas. Todas viram quando ela saíra para passear com o seu futuro "namorado" – afinal, não basta ter um grande amor, é preciso também fazer com que todos saibam que se é uma pessoa muito desejada. Estavam interessadíssimas em saber o que tinha acontecido, e Maria, cheia de si, disse que a melhor parte foi a língua que tocava nos seus dentes. Uma das raparigas riu.

– Não abriste a boca?

De repente, tudo se tornava claro – a pergunta, a decepção.

– Para quê?

– Para deixar que a língua entrasse.

– E qual é a diferença?

– Não há explicação. É assim que se beija.

Risinhos dissimulados, ares de suposta piedade, vingança comemorada entre as raparigas que nunca tinham tido um rapaz apaixonado. Maria fingiu que não lhes dava importância, riu-se também – embora a sua alma chorasse. Secretamente blasfemou contra o cinema, onde aprendera a fechar os olhos, a segurar a cabeça do outro com a mão, a mover o rosto um pouco para a esquerda, um pouco para a direita, mas que não mostrava o essencial, o mais importante. Elaborou uma explicação perfeita (eu não quis entregar-me logo, porque não estava convencida, mas agora descobri que tu és o homem da minha vida) e aguardou a próxima oportunidade.

Mas só viu o rapaz três dias depois, numa festa no clube da cidade, segurando na mão de uma amiga sua – a mesma que a interrogara sobre o beijo. Ela fingiu de novo que não tinha importância, aguentou até ao fim da noite conversando com as companheiras sobre artistas e outros rapazes da cidade, fingindo ignorar alguns olhares piedosos que de vez em quando uma delas lhe lançava. Ao chegar a casa, porém, deixou que o seu universo desabasse, chorou a noite inteira, sofreu durante oito meses seguidos, e concluiu que o amor não fora feito para ela, nem ela para o amor. A partir daí, passou a considerar a possibilidade de se tornar religiosa, dedicando o resto da sua vida a um tipo de amor que não fere e não deixa marcas dolorosas no coração – o amor a Jesus. Na escola falavam de missionários que iam para África, e ela decidiu que ali estava a saída da sua vida tão sem emoções. Fez planos para entrar no convento, aprendeu os primeiros socorros (já que, segundo alguns professores, muita gente morria em África), dedicou-se com mais afinco às aulas de Religião, e começou a imaginar-se como uma santa dos tempos modernos, que salvava vidas e conhecia as florestas onde habitavam tigres e leões.

Mas aquele ano, o do seu décimo quinto aniversário, não lhe reservara apenas a descoberta de que o beijo se dá com a boca aberta, ou de que o amor é sobretudo uma fonte de sofrimento. Descobriu uma terceira coisa: a masturbação. Foi quase por acaso, brincando com o seu sexo enquanto esperava que a mãe voltasse para casa. Costumava fazê-lo quando era criança, e gostava muito da sensação agradável – até que um dia o pai a viu e lhe deu uma sova, sem lhe explicar o motivo. Mesmo assim, nunca esqueceu a sova que ele lhe dera, e aprendeu que não devia tocar-se em frente dos outros; como não podia fazê-lo no meio da rua, e como na sua casa não tinha um quarto só para ela, esqueceu-se da sensação agradável.

Até àquela tarde, quase seis meses depois do tal beijo. A mãe atrasou-se, ela não tinha nada que fazer, o pai tinha acabado de sair com um amigo, e na falta de um programa interessante na televisão, começou a examinar o seu corpo – na esperança de encontrar alguns cabelos indesejados, que logo seriam arrancados com uma pinça. Para sua surpresa, notou um pequeno caroço na parte superior da sua vagina; começou a brincar com ele, e já não conseguia parar; era cada vez mais agradável, mais intenso, e todo o seu corpo – principalmente a parte que estava a tocar – ia ficando rígido. A pouco e pouco, começou a entrar numa espécie de paraíso, a sensação foi aumentando de intensidade, ela notou que já não via ou ouvia com nitidez, tudo parecia ter ficado amarelo, até que gemeu de prazer e teve o seu primeiro orgasmo.

Orgasmo! Gozo!

Foi como se tivesse subido ao céu, e agora descesse de pára-quedas, lentamente, para a Terra. O seu corpo estava encharcado de suor, mas ela sentia-se completa, realizada, cheia de energia. Então, era aquilo o sexo! Que maravilha! Nada de revistas pornográficas, com toda a gente a falar de prazer, mas com uma expressão de dor. Nada de precisar de homens, que gostavam do corpo, mas desprezavam o coração de uma mulher. Podia fazer tudo sozinha! Repetiu uma segunda vez, agora imaginando que era um actor famoso que a tocava, e de novo foi até ao paraíso e desceu de pára-quedas, ainda mais cheia de energia. Quando ia começar pela terceira vez, a mãe chegou.

Maria foi conversar com as amigas sobre a sua nova descoberta, desta vez evitando dizer que a experimentara pela primeira vez há poucas horas. Todas – com excepção de duas – sabiam do que se tratava, mas nenhuma delas tinha ousado falar sobre o assunto. Foi o momento de Maria se sentir revolucionária, líder do grupo e, inventando um absurdo "jogo de confissões secretas", pediu a cada uma que contasse a sua maneira preferida de se masturbar. Aprendeu várias técnicas diferentes, como ficar debaixo do cobertor em pleno Verão (porque, dizia uma delas, o suor ajudava), usar uma pena de ganso para tocar o local (ela não sabia o nome do local), deixar que um rapaz fizesse aquilo (a Maria isso parecia desnecessário), usar o chuveiro do bidé (não possuía um em sua casa, mas, assim que visitasse uma das suas amigas ricas, iria experimentar).

De qualquer maneira, ao descobrir a masturbação, e depois de usar algumas das técnicas sugeridas pelas amigas, desistiu para sempre da vida religiosa. Aquilo dava-lhe muito prazer – e pelo que insinuavam na igreja, o sexo era o maior dos pecados. Através das mesmas amigas, começou a ouvir lendas a respeito da masturbação: esta enchia o rosto de espinhas, podia levar à loucura ou à gravidez. Mesmo assim, correndo todos esses riscos, continuou a dar-se prazer pelo menos uma vez por semana, geralmente às quartas-feiras, quando o pai saía para jogar às cartas com os amigos.

Ao mesmo tempo, ficava cada vez mais insegura na sua relação com os homens – e com mais vontade de se ir embora do lugar onde vivia. Apaixonou-se uma terceira, quarta vez, já sabia beijar, tocava e deixava-se tocar quando estava sozinha com os namorados – mas acontecia sempre algo de errado, e a relação terminava exactamente no momento em que estava finalmente convencida de que aquela era a pessoa certa para ficar com ela o resto da vida. Depois de muito tempo, acabou por concluir que os homens apenas traziam dor, frustração, sofrimento, e a sensação de que os dias se arrastavam. Certa tarde, quando estava no parque a observar uma mãe a brincar com o filho de dois anos, decidiu que podia até pensar em marido, filhos, e casa com vista para o mar, mas nunca mais voltaria a apaixonar-se – porque a paixão estragava tudo.

E assim se passaram os anos da adolescência de Maria. Foi ficando cada vez mais bonita, e por causa do seu ar misterioso e triste muitos homens se apresentaram. Saiu com um, com outro, sonhou e sofreu – apesar da promessa que tinha feito de jamais se apaixonar de novo. Num desses encontros, perdeu a virgindade no banco de trás de um carro; ela e o namorado estavam a tocar-se com mais ardor do que de costume, o rapaz entusiasmou-se, e ela – cansada de ser a última virgem do seu grupo de amigas – permitiu que ele a penetrasse. Ao contrário da masturbação, que a levava ao céu, aquilo apenas a deixou dorida, com um fio de sangue que manchou a saia, e custou a sair. Não teve a sensação mágica do primeiro beijo – as garças voando, o pôr do Sol, a música... não, ela não queria mais lembrar-se daquilo.

Fez amor com o mesmo rapaz algumas outras vezes, depois de o ameaçar, dizendo que o seu pai era capaz de o matar se descobrisse que tinha violado a filha. Transformou-o num instrumento de aprendizagem, procurando de todas as formas perceber onde estava o prazer do sexo com um parceiro.

Não percebeu; a masturbação dava muito menos trabalho, e muito mais recompensas. Mas todas as revistas, programas de televisão, livros, amigas, tudo, ABSOLUTAMENTE TUDO dizia que um homem era importante. Maria começou a achar que devia ter algum problema sexual inconfessável, concentrou-se ainda mais nos estudos, e esqueceu por uns tempos essa coisa maravilhosa e assassina chamada Amor.

Do Diário de Maria, quando tinha 17 anos:

O meu objectivo é compreender o amor. Sei que estava viva quando amei, e sei que tudo o que tenho agora, por mais interessante que possa parecer, não me entusiasma.

Mas o amor é terrível: tenho visto as minhas amigas sofrerem, e não quero que isso me aconteça. Elas, que antes riam de mim e da minha inocência, agora perguntam-me como é que eu consigo dominar os homens tão bem. Sorrio e fico calada, porque sei que o remédio é pior do que a própria dor: simplesmente não me apaixono. A cada dia que passa, vejo com mais clareza como os homens são frágeis, inconstantes, inseguros, surpreendentes... Alguns pais destas amigas já me fizeram algumas propostas, eu recusei. Antes, ficava chocada, agora acho que faz parte da natureza do homem.

Embora o meu objectivo seja compreender o amor, e embora sofra por causa das pessoas a quem entreguei o meu coração, vejo que aqueles que me tocaram a alma não conseguiram despertar o meu corpo, e aqueles que tocaram o meu corpo não conseguiram alcançar a minha alma.

Completou 19 anos, terminou o secundário, encontrou um emprego numa loja de tecidos, e o chefe apaixonou-se por ela – mas Maria, por esta altura, sabia como usar um homem sem ser usada por ele. Nunca deixou que ele lhe tocasse, embora se mostrasse sempre insinuante, conhecendo o poder da sua beleza.

Poder da beleza: e como seria o mundo para as mulheres feias? Tinha algumas amigas em quem ninguém reparava nas festas, ninguém lhes dizia: "Como vai?" Por incrível que pareça, essas raparigas valorizavam muito mais o pouco amor que recebiam, sofriam em silêncio quando eram rejeitadas, e procuravam enfrentar o futuro buscando outras coisas que não apenas enfeitarem-se para agradarem a alguém. Eram mais independentes, mais dedicadas a si mesmas, embora na imaginação de Maria o mundo lhes devesse parecer insuportável.

Ela, porém, tinha consciência da própria beleza, mas costumava ouvir alguns (poucos) conselhos da sua mãe, e um dos mais importantes fora: "Minha filha, a beleza não dura para sempre." Por causa disso, continuou a manter uma relação nem próxima nem distante com o seu patrão, o que significou um considerável aumento de salário (não sabia até quando conseguiria mantê-lo na esperança de um dia a levar para a cama, mas enquanto isso ganhava bem), além da comissão por trabalhar horas extras (afinal de contas, o homem gostava de a ter por perto, talvez temendo que, se saísse, encontrasse um grande amor). Trabalhou vinte e quatro meses sem parar, pôde dar uma mesada aos pais, e finalmente conseguiu! Arranjou dinheiro suficiente para, durante as férias, passar uma semana na cidade dos seus sonhos, o lugar dos artistas, o cartão postal do seu país: o Rio de Janeiro!

O chefe ofereceu-se para a acompanhar e pagar todas as suas despesas, mas Maria mentiu, dizendo que a única condição que a sua mãe lhe impusera fora dormir em casa de um primo que praticava *jiu-jitsu*, já que ela estava a ir para um dos lugares mais perigosos do mundo.

– Além do mais – continuou –, o senhor não pode deixar a loja assim, sem uma pessoa de confiança a tomar conta.

– Não me chame senhor – disse ele, e Maria notou nos seus olhos aquilo que já conhecia: o fogo da paixão. Tal surpreendeu-a, porque achava que aquele homem estava apenas interessado em sexo; no entanto, o seu olhar dizia exactamente o oposto: "Posso dar-te uma casa, uma família, e algum dinheiro para os teus pais." Pensando no futuro, resolveu alimentar a fogueira.

Disse que sentiria muito a falta daquele emprego que tanto amava, das pessoas com quem adorava conviver (fez questão de não mencionar ninguém em particular, deixando no ar o mistério: será que por "as pessoas" se referia a ele?), e prometia tomar muito cuidado com a sua carteira e a sua integridade. A verdade era outra: não queria que ninguém, absolutamente ninguém, estragasse aquela que seria a sua primeira semana de total liberdade. Queria fazer tudo – tomar banho no mar, conversar com estranhos, ver as montras das lojas, e estar disponível para que um príncipe encantado aparecesse e a raptasse para sempre.

– O que é uma semana, afinal? – disse com um sorriso sedutor, desejando estar errada. – Passa depressa, e em breve estarei de volta para cuidar das minhas responsabilidades.

O chefe, desconsolado, estava um pouco relutante, mas acabou por aceitar, pois nesta altura já estava a fazer planos secretos de a pedir em casamento assim que ela voltasse, e não queria ser atrevido e estragar tudo.

Maria viajou 48 horas de autocarro, hospedou-se num hotel de quinta categoria em Copacabana (ah, Copacabana! Esta praia, este céu...), e antes mesmo de desfazer as malas, agarrou num biquíni que tinha comprado, vestiu-o, e mesmo com o tempo nublado foi para a praia. Olhou o mar, sentiu pavor, mas acabou por entrar nas suas águas, morrendo de vergonha.

Ninguém na praia notou que aquela rapariga estava a ter o seu primeiro contacto com o Oceano, a deusa Iemanjá, as correntes marítimas, a espuma das ondas, e a costa de África com os seus leões do outro lado do Atlântico. Quando saiu da água, foi abordada por uma mulher que tentava vender sanduíches naturais, um belo negro que lhe perguntou se estava livre para sair naquela noite, e um homem que não falava uma só palavra de português, mas que por gestos a convidava para tomar uma água de coco com ele.

Maria comprou a sanduíche porque teve vergonha de dizer "não", mas evitou falar com os dois estranhos. De um momento para o outro, ficou triste; afinal, agora que tinha todas as possibilidades de fazer tudo o que queria, por que agia de maneira absolutamente reprovável? À falta de uma boa explicação, sentou-se para esperar que o Sol saísse de trás das nuvens, ainda surpreendida com a sua própria coragem, e com a temperatura da água, tão fria em pleno Verão.

O homem que não falava português, entretanto, apareceu ao seu lado com um coco, e ofereceu-lho. Contente por não ser obrigada a conversar com ele, ela bebeu a água do coco, sorriu, e ele sorriu. Durante algum tempo, ficaram nesta confortável comunicação que não quer dizer nada – sorriso para cá, sorriso para lá – até que o homem tirou um pequeno dicionário de capa vermelha do bolso e disse, com um sotaque estranho: "Bonita". Ela sorriu de novo; bem que gostaria de encontrar o seu príncipe encantado, mas no mínimo ele devia falar a sua língua e ser um pouco mais jovem.

O homem insistiu, folheando o pequeno livrinho:
– Jantar hoje?
E logo comentou:
– Suíça!
Completando com palavras que soam como sinos do paraíso, em qualquer língua em que sejam pronunciadas:
– Emprego! Dólar!
Maria não conhecia o restaurante Suíça, mas será que as coisas eram assim tão fáceis, e os sonhos se realizavam tão depressa? Era melhor desconfiar: muito obrigada pelo

convite, estou ocupada, e tão-pouco estava interessada em comprar dólares.

O homem, que não entendeu uma só palavra da sua resposta, estava a ficar desesperado; depois de muitos sorrisos para cá, sorrisos para lá, deixou-a por alguns minutos, voltando logo com um tradutor. Através dele, explicou que vinha da Suíça (não era um restaurante, era o país), e que gostaria de jantar com ela, pois tinha uma oferta de emprego. O tradutor, que se apresentou como assessor do estrangeiro e segurança do hotel onde o homem estava hospedado, acrescentou por sua conta:

– Se fosse a ti, aceitava. Este homem é um importante empresário artístico, e veio descobrir novos talentos para trabalhar na Europa. Se quiseres, posso apresentar-te outras pessoas que aceitaram o convite, ficaram ricas, e hoje estão casadas e com filhos e não precisam de enfrentar assaltos ou problemas de desemprego.

E, completou, tentando impressioná-la com a sua cultura internacional:

– Além do mais, na Suíça fazem excelentes chocolates e relógios.

A experiência artística de Maria resumia-se a representar uma vendedora de água – que entrava muda e saía calada – na peça sobre a Paixão de Cristo que a prefeitura encenava sempre durante a Semana Santa. Não tinha conseguido dormir bem no autocarro, mas estava excitada com o mar, cansada de comer sanduíches naturais e antinaturais, e confusa porque não conhecia ninguém e precisava de encontrar rapidamente um amigo. Já passara por este tipo de situação anteriormente, quando um homem promete tudo e não cumpre nada – de modo que sabia que esta história de actriz era apenas uma maneira de tentar interessá-la em algo que ela fingia não querer.

Mas certa de que a Virgem lhe oferecera aquela oportunidade, convencida de que tinha de aproveitar cada segundo daquela sua semana de férias, e conhecer um bom restaurante significava ter algo muito importante para contar quando voltasse à sua terra, resolveu aceitar o convite – desde que o tradutor a acompanhasse, pois já estava cansada de sorrir e fingir que entendia o que o estrangeiro dizia.

O único problema era também o maior de todos: não tinha roupa adequada. Uma mulher nunca confessa estas intimidades (é mais fácil aceitar que o marido a traiu do que confessar o estado do seu guarda-roupa), mas como não conhecia aqueles homens, e talvez nunca mais voltasse a vê-los, resolveu que não tinha nada a perder.

– Acabo de chegar do Nordeste, não tenho roupa para ir a um restaurante.

O homem, através do tradutor, pediu que não se preocupasse, e solicitou o endereço do seu hotel. Naquela tarde, ela recebeu um vestido como nunca tinha visto em toda a sua vida, acompanhado de um par de sapatos que deviam ter custado tanto quanto ela ganhava durante o ano.

Sentiu que ali começava o caminho pelo qual tanto ansiara durante a sua infância e adolescência no sertão brasileiro, convivendo com a seca, os rapazes sem futuro, a cidade honesta mas pobre, a vida repetitiva e sem interesse: estava prestes a transformar-se na princesa do Universo! Um homem oferecera-lhe emprego, dólares, um par de sapatos caríssimos e um vestido de conto de fadas! Faltava a maquilhagem, mas a recepcionista que tomava conta do hotel, solidária, ajudou-a, não sem antes a preve-

nir de que nem todos os estrangeiros são bons, e nem todos os cariocas são assaltantes.

Maria ignorou o aviso, vestiu-se com aquele presente dos céus, ficou horas diante do espelho, arrependida
de não ter trazido uma simples máquina fotográfica para
registar o momento, até que finalmente se deu conta de
que já estava atrasada para o seu compromisso. Saiu a
correr, tal e qual Cinderela, e dirigiu-se ao hotel onde o
suíço se encontrava.

Para sua surpresa, o tradutor disse logo que não ia
acompanhá-los:

– Não te preocupes com a língua – o importante é ele
sentir-se bem ao teu lado.

– Mas como, se não vai entender o que eu digo?

– Justamente por isso. Não precisam de conversar, é
uma questão de energia.

Maria não sabia o que era uma "questão de energia";
na sua terra, as pessoas precisavam de trocar palavras,
frases, perguntas e respostas sempre que se encontravam.
Mas Maílson – assim se chamava o tradutor/segurança –
garantiu-lhe que no Rio de Janeiro e no resto do mundo
as coisas eram diferentes.

– Não precisas de o entender, procura apenas fazê-lo
sentir-se bem. O homem é viúvo, sem filhos, dono de uma
boîte, e anda à procura de brasileiras que queiram actuar
no estrangeiro. Eu disse-lhe que tu não fazias o tipo, mas
ele insistiu, disse que se apaixonara assim que te vira sair
da água. Também achou o teu biquíni lindo.

Fez uma pausa.

– Sinceramente, se quiseres arranjar namorado aqui, tens
de usar outro modelo de biquíni; fora este suíço, acho que
mais ninguém no mundo irá gostar; é muito antiquado.

Maria fingiu que não ouvira. Maílson continuou.

– Acho que ele não deseja apenas uma aventura contigo; acha que tens talento suficiente para te transformares na principal atracção da sua *boîte*. Claro que não te viu cantar, nem dançar, mas isso aprende-se, enquanto a beleza é algo com que se nasce. Esses europeus são mesmo assim: chegam aqui, acham que todas as brasileiras são sensuais e sabem sambar. Se ele for sério nas suas intenções, aconselho-te que lhe peças um contrato assinado – e com assinatura reconhecida no consulado suíço – antes de saíres do país. Amanhã estarei na praia, em frente do hotel, procura-me se tiveres alguma dúvida.

O suíço, sorrindo, deu-lhe o braço e apontou o táxi que os esperava.

– Se no entanto a intenção dele for outra, e a tua também, o preço normal de uma noite é de 300 dólares. Não leves menos.

Antes que pudesse responder, já estava a caminho do restaurante, com o homem a ensaiar as palavras que desejava dizer. A conversa foi muito simples:

– Trabalhar? Dólar? Estrela brasileira?

Maria, entretanto, ainda pensava no comentário do segurança/tradutor: trezentos dólares por uma noite! Que fortuna! Não precisava de sofrer por amor, podia seduzi-lo como fizera com o dono da loja de tecidos, casar, ter filhos, e dar uma vida confortável aos pais. O que é que tinha a perder? Como qualquer homem, podia morrer de uma hora para a outra, e ela ia ficar rica – afinal, parecia que os suíços tinham muito dinheiro e poucas mulheres na sua terra.

Jantaram sem conversar muito – sorriso para cá, sorriso para lá, Maria compreendia a pouco e pouco o que era "energia" – e o homem mostrou-lhe um álbum com várias coisas escritas numa língua que ela não conhecia; fotos de mulheres de biquíni (sem dúvida, melhores e mais ousados do que o que ela usara naquela tarde), recortes de jornais, folhetos espalhafatosos onde tudo o que entendia era a palavra "Brazil", mal escrita (afinal, na escola não lhe ensinaram que se escrevia com "S"?). Bebeu muito, com medo que o tal suíço lhe fizesse uma proposta (afinal, embora nunca tivesse feito isso na sua vida, ninguém pode desprezar trezentos dólares, e com um pouco de álcool as coisas tornam-se muito mais simples, principalmente se não há ninguém da sua cidade por perto). Mas o homem comportou-se como um cavalheiro, inclusive puxou a cadeira quando ela se sentou e se levantou. No fim, disse que estava cansada, e marcou um encontro na praia no dia seguinte (apontar o relógio, mostrar hora, fazer com as mãos o movimento das ondas do mar, dizer "a-ma-nhã" bem devagar).

Ele pareceu ficar satisfeito, olhou também para o seu relógio (possivelmente suíço), e concordou com a hora.

Não dormiu bem. Sonhou que tudo era um sonho. Acordou, e viu que não era: havia um vestido na cadeira do quarto modesto, um belo par de sapatos, e um encontro na praia.

Do Diário de Maria, no dia em que
conheceu o suíço:

Tudo me diz que estou prestes a tomar uma decisão errada, mas os erros são uma maneira de agir. O que quer o mundo de mim? Que não corra riscos? Que volte de onde vim, sem coragem de dizer "sim" à vida?

Já agi mal quando tinha onze anos, e um menino me pediu um lápis emprestado; desde então, entendi que às vezes não existe uma segunda oportunidade, é melhor aceitar os presentes que o mundo oferece. Claro que é arriscado, mas será que o risco é maior do que o de um acidente no autocarro que levou 48 horas para me trazer até aqui? Se tenho de ser fiel a alguém ou a alguma coisa, em primeiro lugar tenho de ser fiel a mim mesma. Se busco o amor verdadeiro, preciso primeiro de ficar cansada dos amores medíocres que encontrei. A pouca experiência de vida que tenho ensinou-me que ninguém é dono de nada, tudo é uma ilusão – e isso vai dos bens materiais aos bens espirituais. Quem já perdeu alguma coisa que tinha como garantida (algo que já me aconteceu tantas vezes), acaba por aprender que nada lhe pertence.

E se nada me pertence, tão-pouco preciso de gastar o meu tempo cuidando das coisas que não são minhas; é melhor viver como se hoje fosse o primeiro (ou o último) dia da minha vida.

No dia seguinte, na companhia de Maílson, o tradutor/ /segurança, agora dizendo-se seu empresário, disse que aceitava o convite, desde que tivesse um documento fornecido pelo consulado suíço. O estrangeiro, que parecia habituado a tal tipo de exigência, afirmou que não era apenas um desejo seu, mas também dele, já que, para trabalhar na sua terra, precisava de ter um papel a provar que ninguém lá poderia fazer o que ela se propunha – e não seria difícil conseguir isso, pois as suíças não tinham grande aptidão para o samba. Foram juntos ao centro da cidade, o segurança/tradutor/empresário exigiu um adiantamento em dinheiro vivo assim que assinaram o contrato, e ficou com 30% dos 500 dólares recebidos.

– Isto é uma semana de adiantamento. Uma semana, entendes? Irás ganhar 500 dólares por semana, e desta vez sem comissão, porque só recebo no primeiro pagamento!

Até àquele momento, as viagens, a ideia de ir para longe, tudo isso era apenas um sonho – e sonhar é muito confortável, desde que não sejamos obrigados a fazer aquilo que planeamos. Assim, não corremos riscos, não passamos por frustrações, momentos difíceis, e, quando ficarmos velhos, podemos sempre culpar os outros – os nossos pais, de preferência, ou os nossos maridos, ou os nossos filhos – por não termos realizado aquilo que desejávamos.

De repente, ali estava a oportunidade que tanto esperava, mas que desejara que nunca chegasse! Como enfrentar os desafios e os perigos de uma vida que ela não conhecia? Como abandonar tudo aquilo a que estava habituada? Por que decidira a Virgem ir tão longe?

Maria consolou-se com o facto de que podia mudar de ideias em qualquer momento, tudo não passava de uma brincadeira irresponsável – algo diferente para contar quando voltasse à sua terra. Afinal de contas, morava a mais de mil quilómetros dali, tinha agora 350 dólares na carteira, e se amanhã resolvesse fazer as malas e fugir, eles nunca conseguiriam saber onde se escondia.

Na tarde em que foram ao consulado, ela resolveu passear sozinha à beira-mar, olhando as crianças, os jogadores de voleibol, os mendigos, os bêbados, os vendedores de artesanato típico brasileiro (fabricado na China), os que corriam e faziam exercício para afugentar a velhice, os turistas estrangeiros, as mães com os seus filhos, os reformados jogando às cartas. Tinha vindo ao Rio de Janeiro, conhecera um restaurante de primeiríssima classe, um consulado, um estrangeiro, tivera um empresário, recebera de presente um vestido e um par de sapatos que ninguém – absolutamente ninguém – na sua terra poderia comprar.

E agora?

Olhou para o outro lado do mar: a sua lição de Geografia afirmava que, se seguisse em linha recta, iria chegar a África, com os seus leões e as suas selvas cheias de gorilas. Porém, se andasse um pouco para o norte, acabaria por pisar o reino encantado chamado Europa, onde existia a Torre Eifell, a Disneylândia Europeia, e a Torre Inclinada de Pizza. O que tinha a perder? Como qualquer brasileira, aprendera a sambar antes mesmo de dizer "mamãe"; poderia voltar se não gostasse, e já aprendera que as oportunidades são feitas para serem aproveitadas de imediato.

Passara grande parte do seu tempo a dizer "não" a coisas a que gostaria de dizer "sim", decidida a viver apenas as experiências que sabia controlar – como certas aventuras com homens, por exemplo. Agora estava diante do desconhecido, tão desconhecido como este mar fora uma vez para os navegadores que o cruzavam, assim lhe tinham ensinado na aula de História. Podia dizer sempre "não", mas será que iria passar o resto da vida a lamentar-se, como ainda hoje fazia face à imagem do menino que uma vez lhe pedira um lápis e desaparecera com o seu primeiro amor? Poderia sempre dizer "não", mas por que não ensaiar um "sim" desta vez?

Por uma razão muito simples: era uma rapariga do interior, sem qualquer experiência na vida além de um bom colégio, uma grande cultura de novelas de televisão, e a certeza de que era bela. Isso não bastava para enfrentar o mundo.

Viu um grupo de pessoas rindo e olhando o mar, com medo de se aproximarem. Há dois dias, ela sentira a mesma coisa, mas agora não tinha medo, entrava na água sempre que desejava, como se tivesse nascido ali. Será que não iria acontecer a mesma coisa na Europa?

Fez uma prece silenciosa, pediu de novo os conselhos da Virgem Maria, e segundos depois parecia à vontade com a sua decisão de seguir por diante, porque se sentia protegida. Poderia sempre voltar, mas nem sempre teria a oportunidade de ir tão longe. Valia a pena correr o risco, desde que o sonho conseguisse resistir às 48 horas de volta no autocarro sem ar condicionado, e desde que o suíço não mudasse de ideias.

Estava tão animada que, quando ele a convidou para jantar novamente, quis ensaiar um ar sensual, e agarrou na mão dele, mas o homem logo a retirou, e Maria entendeu – com um certo medo, e com um certo alívio – que ele realmente falava a sério.

– Estrela samba! – dizia o homem. – Linda estrela samba brasileiro! Viagem semana próxima!

Era tudo uma maravilha, mas "viagem semana próxima" estava absolutamente fora de qualquer cogitação. Maria explicou que não podia tomar uma decisão sem consultar a sua família. O suíço, furioso, mostrou uma cópia do documento assinado, e pela primeira vez ela sentiu medo.

– Contrato! – dizia ele.

Mesmo decidida a viajar, resolveu aconselhar-se com Maílson, o seu empresário – afinal de contas, ele estava a ser pago para a assessorar.

Maílson, porém, parecia estar mais interessado em seduzir uma turista alemã que acabara de chegar ao hotel, e fazia *topless* na areia, certa de que o Brasil é o país mais liberal do mundo (sem se dar conta de que era a única pessoa com os seios expostos, e sem notar que todos os demais a olhavam com um certo desconforto). Foi difícil conseguir que ele prestasse atenção ao que ela dizia.

– E se eu mudar de ideias?– insistia Maria.

– Não sei o que está escrito no contrato, mas talvez ele te mande prender.

– Não me achará nunca!

– Tens razão. Portanto, não te preocupes.

O suíço, porém, que já gastara 500 dólares, um par de sapatos, um vestido, dois jantares, e os custos de cartório no consulado, começava a ficar preocupado, de modo que, já que Maria insistia na necessidade de falar com a sua família, resolveu comprar duas passagens de avião e acompanhá-la até ao lugar onde nascera – desde que tudo se resolvesse em 48 horas, e pudessem viajar na próxima semana, conforme o combinado. Com sorrisos para cá, sorrisos para lá, ela começava a entender que isso constava do documento, e que não se deve brincar muito com a sedução, os sentimentos, e os contratos.

Foi uma surpresa, e um orgulho para a pequena cidade, ver a sua bela filha Maria chegar acompanhada de um estrangeiro, que desejava convidá-la para ser uma grande estrela na Europa. Toda a vizinhança soube, e as amigas do colégio perguntavam: "Mas como foi?"

"Eu tenho sorte."

Elas queriam saber se isso acontecia sempre no Rio de Janeiro, porque tinham visto novelas na televisão com episódios semelhantes. Maria não disse nem sim nem não, para valorizar a sua experiência e convencer as amigas de que ela era uma pessoa especial.

Foram a sua casa, onde o homem mostrou de novo os folhetos, o Brazil (com Z), o contrato, enquanto Maria explicava que agora tinha um empresário, e pretendia seguir uma carreira artística. A mãe, olhando o tamanho do biquíni das raparigas das fotos que o estrangeiro lhe apresentava, devolveu-as imediatamente e não quis fazer perguntas – tudo o que lhe interessava é que a sua filha fosse feliz e rica, ou infeliz – mas rica.

– Qual é o nome dele?

– Roger.

– Rogério! Eu tinha um primo com esse nome!

O homem sorriu, bateu palmas, e todos se deram conta de que ele não tinha entendido a pergunta. O pai comentou com Maria:

– Mas ele tem a minha idade.

A mãe pediu que ele não interferisse na felicidade da filha. Como todas as costureiras conversam muito com as suas clientes, e acabam por ganhar uma grande experiência em matéria de casamento e amor, ela aconselhou:

– Minha adorada, é melhor ser infeliz com um homem rico do que ser feliz com um homem pobre, e lá longe tens muito mais oportunidades de ser uma rica infeliz. Além do mais, se nada der certo, apanhas um autocarro e voltas para casa.

Maria, uma rapariga do interior, mas com uma inteligência maior do que a sua mãe ou o seu futuro marido imaginavam, insistiu apenas para provocar:

– Mãe, não existe autocarro da Europa para o Brasil. Além do mais, quero ter uma carreira artística, não estou à procura de casamento.

A mãe olhou para a filha com um ar quase desesperado:

– Se consegues chegar lá, também consegues sair. As carreiras artísticas são muito boas para moças jovens, mas só duram enquanto fores bonita, e isso acaba mais ou menos aos 30 anos. Portanto aproveita, encontra alguém que seja honesto, apaixonado, e por favor casa. Não precisas de pensar muito em amor – no início, eu tão-pouco amava o teu pai, mas o dinheiro compra tudo, até o amor verdadeiro. E olha que o teu pai nem rico é!

Era um péssimo conselho de amiga, mas um excelente conselho de mãe. Quarenta e oito horas depois, Maria estava de volta ao Rio, não sem antes ter passado – sozinha – pelo seu antigo emprego, pedido a demissão, e ouvido do dono da loja de tecidos:

– Soube que um grande empresário francês resolveu levar-te para Paris. Não posso impedir-te de ires atrás da tua felicidade, mas quero que, antes de te ires embora, saibas uma coisa.

Tirou do bolso um cordão com uma medalha.

– Trata-se da Medalha Milagrosa de Nossa Senhora das Graças. A sua igreja fica em Paris, de modo que vai até lá e pede-lhe protecção. Vê o que está escrito aqui.

Maria viu que, em volta da Virgem, havia algumas palavras: "Oh Maria concebida sem pecado, rogai por nós que recorremos a Vós. Ámen."

– Não deixes de dizer esta frase pelo menos uma vez por dia. E...

Ele hesitou, mas agora era tarde.

– ... se algum dia voltares, quero que saibas que estarei à tua espera. Perdi a oportunidade de dizer uma coisa tão simples: "Amo-te." Talvez seja tarde, mas gostaria que soubesses.

"Perder a oportunidade." Ela tinha aprendido muito cedo o que isso significava. "Amo-te", porém, era uma frase que tinha ouvido muitas vezes ao longo dos seus 22 anos, e parecia que já não tinha nenhum sentido – porque nunca resultara em algo sério, profundo, que se traduzisse numa relação duradoura. Maria agradeceu as palavras, anotou-as no seu subconsciente (nunca se sabe o que a vida nos prepara, e é sempre bom saber onde se encontra a saída de emergência), deu-lhe um casto beijo no rosto, e partiu sem olhar para trás.

Voltaram para o Rio, apenas num dia ela conseguiu o seu passaporte (o Brasil realmente tinha mudado, comentara Roger através de algumas palavras em português e muitos sinais, que Maria traduziu como "antigamente demorava muito"). A pouco e pouco, com a ajuda de Maílson, o segurança/tradutor/empresário, as providências restantes foram tomadas (roupa, sapatos, maquilhagem, tudo o que uma mulher como ela podia sonhar). Roger viu-a dançar numa discoteca que visitaram na véspera da viagem para a Europa, ficando entusiasmado com a sua escolha – realmente estava diante de uma grande estrela para o *cabaret* "Cologny", a bela morena de olhos claros e cabelos negros como a asa da graúna (um pássaro brasileiro, com o qual os escritores da terra costumam comparar os cabelos negros). A certidão de trabalho do consulado suíço ficou pronta, fizeram as malas, e no dia seguinte viajavam para a terra do chocolate, dos relógios e do queijo suíço, com Maria planeando secretamente fazer aquele homem apaixonar-se por ela – afinal de contas, ele não era nem velho, nem feio, nem pobre. Que mais poderia desejar?

Chegou exausta, e ainda no aeroporto o seu coração apertou-se de medo: descobriu que estava completamente dependente do homem que estava ao seu lado – não conhecia a terra, a língua, o frio. O comportamento de Roger ia mudando à medida que as horas se passavam; já não tentava ser agradável, e embora nunca tentasse beijá-la ou tocar nos seus seios, o seu olhar tinha-se tornado distante. Alojou-a num pequeno hotel, apresentando-a a outra brasileira, uma mulher jovem e triste chamada Vivian, que se encarregaria de a preparar para o trabalho.

Vivian olhou-a de cima a baixo, sem a menor cerimónia ou o menor carinho por quem está a ter a sua primeira experiência no estrangeiro. Em vez de lhe perguntar como se sentia, foi direita ao assunto.

– Não tenhas ilusões. Ele vai ao Brasil sempre que alguma das suas dançarinas se casa, e pelos vistos isso está a acontecer com muita frequência. Ele sabe o que quer, e acredito que tu também saibas: deves ter vindo em busca de uma de três coisas – aventura, dinheiro, ou marido.

Como é que ela podia adivinhar? Será que toda a gente procurava a mesma coisa? Ou será que Vivian podia ler os pensamentos alheios?

– Todas as raparigas que aqui estão procuram uma destas três coisas – continuou Vivian, e Maria convenceu-se de que ela lia o seu pensamento. – Quanto à aventura, está muito frio para ir a algum lado, e além do mais o dinheiro não sobra para viagens. Quanto ao dinheiro, terás de trabalhar quase um ano para pagar a tua passagem de volta, além dos descontos da hospedagem e da comida.

– Mas...

– Já sei: não foi isso o combinado. Na verdade, foste tu que te esqueceste de perguntar – como, aliás, toda a gente se esquece. Se tivesses mais cuidado, se lesses o contrato que assinaste, saberias exactamente onde te meteste – porque os suíços não mentem, embora usem o silêncio para os ajudar.

O chão fugia sob os pés de Maria.

– Finalmente, quanto ao marido, cada rapariga que se casa significa um grande prejuízo económico para Roger, de modo que estamos proibidas de conversar com os clientes. Se quiseres alguma coisa nesse sentido, terás de correr grandes riscos. Isto aqui não é um lugar onde as pessoas se encontram, como na Rue de Berne.

Rue de Berne?

– Os homens vêm aqui com as mulheres, e os poucos turistas, assim que se dão conta do ambiente familiar, vão em busca de mulheres noutros lugares. Aprende a dançar; se souberes também cantar, o teu salário será aumentado, e a inveja das outras também. De modo que sugiro que não tentes saber cantar.

"Sobretudo, não uses o telefone. Gastarás tudo o que ainda tens por ganhar, e que será muito pouco."

– Mas ele prometeu-me 500 dólares por semana!

– Verás.

Do Diário de Maria, na sua segunda
semana na Suíça:

Fui à boîte, encontrei um "director de dança" de
um país chamado Marrocos, e tive de aprender cada
passo daquilo que ele – que jamais pisou o Brasil –
acredita ser "samba". Nem tive tempo de descansar da
longa viagem de avião, era sorrir e dançar – logo na
primeira noite. Somos seis raparigas, nenhuma delas
está feliz, e nenhuma sabe o que faz aqui. Os clientes
bebem e batem palmas, lançam beijos e fazem gestos
obscenos às escondidas, mas não se passa disso.

O salário foi pago ontem, apenas um décimo do
que tínhamos combinado – o resto, segundo o tal contrato, será usado para pagar a minha passagem e a minha
estadia. Pelos cálculos de Vivian, isso deve demorar
um ano – ou seja, durante esse período não tenho para
onde fugir.

Mas será que vale a pena fugir? Acabei de chegar,
ainda não conheço nada. Qual o problema de dançar
durante sete noites por semana? Antigamente eu fazia-o por prazer, agora faço-o por dinheiro e fama; as
pernas não reclamam, a única coisa difícil é manter o
sorriso nos lábios.

Posso escolher entre ser uma vítima do mundo ou
uma aventureira em busca do seu tesouro. É tudo uma
questão de como vou olhar a minha vida.

Maria escolheu ser uma aventureira em busca do tesouro – deixou de lado os seus sentimentos, parou de chorar toda a noite, esqueceu-se de quem era; descobriu que tinha força de vontade suficiente para fingir que tinha acabado de nascer, e portanto não precisava de sentir saudades de ninguém. Os sentimentos podiam esperar, agora era preciso ganhar dinheiro, conhecer o país, e voltar vitoriosa para a sua terra.

De resto, tudo à sua volta parecia o Brasil em geral, e a sua cidade em particular: as mulheres falavam português, queixavam-se dos homens, conversavam alto, protestavam por causa dos horários, chegavam atrasadas à *boîte*, desafiavam o patrão, achavam-se as mais belas do mundo, e contavam histórias dos seus príncipes encantados – que geralmente estavam muito longe, ou eram casados, ou não tinham dinheiro e viviam do trabalho delas. O ambiente, ao contrário do que tinha pensado ao ver os folhetos de propaganda que Roger trazia consigo, era exactamente como Vivian descrevera: familiar. As raparigas não podiam aceitar convites ou sair com os clientes, porque estavam registadas como "dançarinas de samba" nas respectivas carteiras de trabalho. Se fossem apanhadas em flagrante a receber um papel com um número de telefone, ficavam quinze dias sem trabalhar. Maria, que esperava algo muito mais movimentado e emocionante, foi a pouco e pouco deixando-se dominar pela tristeza e pelo tédio.

Nos primeiros quinze dias, pouco saiu da pensão onde morava – principalmente quando descobriu que ninguém falava a sua língua, mesmo que ela pronuncias-se DE-VA-GAR cada frase. Também ficou surpreendida ao saber que, ao contrário do que acontecia no seu país, a cidade onde estava agora tinha dois nomes diferentes – Genève para os que viviam ali, e Genebra para as brasileiras.

Finalmente, durante as longas horas de tédio passadas no seu pequeno quarto sem televisão, ela concluiu:

A. Nunca chegaria a encontrar o que procurava, se não soubesse dizer o que pensava. Para isso, precisava de aprender a língua local.

B. Como todas as suas companheiras estavam também à procura da mesma coisa, ela precisava de ser diferente. Para isso ainda não tinha arranjado uma solução ou um método.

Do Diário de Maria, quatro semanas depois
de desembarcar em Genève/Genebra:

Já estou aqui há uma eternidade, não falo a lín-
gua, passo o dia a ouvir música no rádio, a olhar para
o quarto, a pensar no Brasil, a desejar que chegue
a hora de trabalhar, e – quando estou a trabalhar – a
desejar que chegue a hora de voltar para a pensão. Ou
seja, estou a viver o futuro em vez do presente.

Um dia, num futuro remoto, terei a minha passa-
gem, posso voltar para o Brasil, casar-me com o dono
da loja de tecidos, ouvir os comentários maldosos das
amigas que nunca arriscaram e por isso só conseguem
ver a derrota dos outros. Não, não posso voltar assim;
prefiro atirar-me do avião, quando ele estiver a passar
por cima do Oceano.

Como as janelas do avião não abrem (aliás, isso
foi algo que nunca esperei; que pena não poder sentir o
ar puro!), morro aqui mesmo. Mas antes de morrer,
quero lutar pela vida. Se eu puder andar sozinha, irei
até onde quero.

No dia seguinte, matriculou-se num curso matutino de francês, onde conheceu gente de todos os credos, crenças e idades, homens com roupas garridas e muitas correntes de ouro nos braços, mulheres de véu na cabeça, crianças que aprendiam mais rapidamente que os adultos – quando justamente devia ser ao contrário, pois os adultos têm mais experiência. Ficava orgulhosa ao saber que todos conheciam o seu país, o carnaval, o samba, o futebol, e a pessoa mais famosa do mundo, chamada "Pelê". No início, ela quis ser simpática e procurou corrigir a pronúncia (é Pelé! Pelééé'!!!), mas passado algum tempo desistiu, já que também lhe chamavam Mariá, essa mania que os estrangeiros têm de mudar todos os nomes e ainda achar que estão sempre certos.

Durante a tarde, para praticar a língua, ensaiou os seus primeiros passos por aquela cidade de dois nomes, descobriu um chocolate delicioso, um queijo que nunca tinha comido, um gigantesco chafariz no meio do lago, a neve que os pés de nenhum dos habitantes da sua cidade tinham tocado, as cegonhas, os restaurantes com lareira (embora nunca tenha entrado em nenhum, via o fogo lá dentro, e aquilo dava-lhe uma agradável sensação de bem-estar). Também ficou surpreendida ao descobrir que nem todos os letreiros tinham propaganda de relógios, mas também de bancos – embora não conseguisse perceber porque existiam tantos bancos para tão poucos habitantes, e reparasse que raramente via alguém no interior das agências, mas resolveu não perguntar nada.

Depois de três meses de autocontrolo no trabalho, o seu sangue brasileiro – sensual e sexual como todos pensavam – falou mais alto; ela apaixonou-se por um árabe que estudava francês no mesmo curso. O caso durou três semanas até que, uma noite, ela resolveu deixar tudo para trás e visitar uma montanha perto de Genève. Quando chegou ao trabalho, no dia seguinte, Roger pediu-lhe que fosse ao seu escritório.

Assim que abriu a porta, foi sumariamente demitida, por dar mau exemplo às outras raparigas que ali trabalhavam. Roger, histérico, disse que mais uma vez se sentia decepcionado, que as mulheres brasileiras não eram fiáveis (ah, meu Deus, esta mania de generalizar tudo). De nada adiantou afirmar que tudo não passara de uma febre muito alta por causa da diferença de temperatura, o homem não se convenceu, e ainda resmungou que precisava de voltar ao Brasil para arranjar uma substituta, e que melhor teria sido fazer um *show* com música e bailarinas jugoslavas, que eram muito mais bonitas e mais responsáveis.

Maria, embora ainda fosse jovem, não tinha nada de parva – principalmente depois de o seu amante árabe lhe dizer que na Suíça as leis de trabalho são muito severas, e que ela podia alegar que estava a ser usada em trabalho escravo, já que a *boîte* ficava com grande parte do seu salário.

Voltou ao escritório de Roger, desta vez falando um francês razoável, que incluía no seu vocabulário a palavra "advogado". Saiu dali com alguns insultos e cinco mil dólares de indemnização – um dinheiro com que nunca tinha sonhado, tudo por causa daquela palavra mágica, "advogado". Agora podia namorar livremente o árabe, comprar alguns presentes, tirar umas fotos na neve, e voltar para casa com a vitória tão sonhada.

A primeira coisa que fez foi telefonar a uma vizinha da mãe a dizer que estava feliz, tinha uma linda carreira à sua frente, e que ninguém na sua casa precisava de ficar preocupado. Em seguida, como tinha um prazo para deixar o quarto da pensão que Roger lhe tinha alugado, decidiu ir ter com o árabe, fazer-lhe juras de amor eterno, converter-se à sua religião e casar-se com ele – mesmo sendo obrigada a usar um daqueles lenços estranhos na cabeça; afinal de contas, todos ali sabiam que os árabes eram muito ricos, e isso bastava.

Mas o árabe, por esta altura, já estava longe – possivelmente na Arábia, um país que Maria não conhecia – e no fundo ela deu graças à Virgem Maria, porque não fora obrigada a trair a sua religião. Agora já falando o suficiente de francês, com dinheiro para a passagem de volta, carteira de trabalho que a classificava como "dançarina de samba", um visto de permanência que ainda tinha validade, e sabendo que em último caso podia casar-se com um comerciante de tecidos, Maria resolveu fazer o que sabia ser capaz de fazer: ganhar dinheiro com a sua beleza.

Ainda no Brasil, lera um livro sobre um pastor que, em busca do seu tesouro, se depara com várias dificuldades, e estas dificuldades ajudam-no a conseguir o que deseja; era exactamente esse o seu caso. Tinha agora plena consciência de que fora despedida para se encontrar com o seu verdadeiro destino – modelo e manequim.

Alugou um pequeno quarto (que não tinha televisão, mas era preciso economizar o máximo, até conseguir ganhar realmente muito dinheiro), e no dia seguinte começou a visitar agências. Em todas soube que precisava de deixar fotos profissionais, mas, afinal de contas, era um investimento na sua carreira – todo o sonho sai caro. Gastou uma considerável parte do dinheiro com um excelente fotógrafo, que conversava pouco e exigia muito: tinha um gigantesco guarda-roupa no seu estúdio, e ela posou com vestidos sóbrios, extravagantes, e até mesmo com um biquíni que deixaria o seu único conhecido no Rio de Janeiro, o segurança/tradutor e ex-empresário Maílson, a morrer de orgulho. Pediu uma série de cópias extra, escreveu uma carta a dizer como estava feliz na Suíça, e enviou-a para a família. Iam achar que estava rica, com um guarda-roupa invejável, e que se tinha transformado na filha mais ilustre da sua pequena cidade. Se tudo desse certo como pensava (e já tinha lido muitos livros de "pensamento positivo", não tendo a menor dúvida da sua vitória), seria recebida com banda de música quando voltasse, e daria um jeito de convencer o prefeito a inaugurar uma praça com o seu nome.

Comprou um telefone móvel, daqueles que utilizam cartão pré-pago (já que não tinha domicílio fixo), e nos dias que se seguiram aguardou as chamadas para começar a trabalhar. Comia em restaurantes chineses (os mais baratos), e – para passar o tempo – estudava como uma louca.

Mas o tempo demorava a passar, e o telefone não tocava. Para sua surpresa, ninguém se metia com ela quando passeava à beira do lago, excepto alguns traficantes de droga que estavam sempre no mesmo lugar, debaixo de uma das pontes que unia o belo jardim antigo à parte mais nova da cidade. Começou a duvidar da sua beleza, até que uma das ex-companheiras de trabalho, com quem se encontrara por acaso num café, disse que a culpa não era dela, mas dos suíços, que não gostam de incomodar ninguém, e dos estrangeiros, que têm medo de ser presos por "assédio sexual" – algo que tinham inventado para fazer as mulheres de todo o mundo sentirem-se péssimas.

Do Diário de Maria, numa noite em que não tinha coragem para sair, para viver, para continuar à espera do telefonema que não vinha:

Hoje passei em frente de um parque de diversões. Como não posso gastar dinheiro à toa, achei melhor observar as pessoas. Fiquei muito tempo parada diante da montanha russa: via que a maioria das pessoas entrava ali em busca de emoção, mas, quando começavam a andar, morriam de medo e pediam que parassem os carros.

O que querem elas? Se escolheram a aventura, não deviam estar preparadas para ir até ao fim? Ou acham que seria mais inteligente não passar por estes sobes e desces, e ficar o tempo todo num carrossel, girando no mesmo lugar?

De momento estou demasiado sozinha para pensar em amor, mas preciso de me convencer de que isso vai passar, conseguirei o meu emprego, e estou aqui porque escolhi este destino. A montanha russa é a minha vida, a vida é um jogo forte e alucinante, a vida é lançar-se de pára-quedas, é arriscar-se, cair e voltar a levantar-se, é alpinismo, é querer subir ao topo de si mesmo, e ficar insatisfeita e angustiada quando não se consegue.

Não é fácil estar longe da minha família, da língua onde posso expressar todas as minhas emoções e sentimentos, mas a partir de hoje, quando ficar deprimi-

da, vou lembrar-me daquele parque de diversões. Se eu tivesse adormecido e acordado de repente numa montanha russa, que iria sentir?

Bem, a primeira sensação é estar prisioneira, ficar apavorada com as curvas, querer vomitar, e sair dali. Porém, se confiar que os trilhos são o meu destino, que Deus governa a máquina, este pesadelo transforma-se em excitação. Ela passa a ser exactamente o que é, uma montanha russa, um brinquedo seguro e fiável, que vai chegar ao fim, mas, enquanto a viagem dura, preciso de olhar a paisagem à volta, gritar de excitação.

Mesmo sendo capaz de escrever coisas que julgava muito sábias, ela não conseguia seguir os seus próprios conselhos; os momentos de depressão tornaram-se cada vez mais frequentes, e o telefone continuava sem tocar. Maria, para se distrair e exercitar o francês nas horas vagas, começou a comprar revistas sobre artistas famosos, mas logo descobriu que gastava muito dinheiro com isso, e foi procurá-las à biblioteca mais próxima. A senhora encarregada de emprestar livros disse que ali não alugavam revistas, mas podia sugerir-lhe alguns títulos que a ajudariam a dominar o francês cada vez melhor.

– Não tenho tempo para ler livros.

– Como não tem tempo? O que faz?

– Muitas coisas: estudo francês, escrevo um diário, e...

– E o quê?

Ia dizendo, "espero que o telefone toque", mas achou melhor ficar calada.

– Minha filha, a menina é jovem, tem a vida pela frente. Leia. Esqueça o que lhe disseram sobre livros, e leia.

– Já li muito.

De repente, Maria lembrou-se daquilo que o segurança Maílson descrevera certa vez como "energia". A bibliotecária à sua frente parecia uma pessoa sensível, doce, alguém
que a poderia ajudar se tudo o mais falhasse. Precisava de
a conquistar, a sua intuição dizia-lhe que ali podia estar uma
possível amiga. Rapidamente, mudou de opinião:

– Mas quero ler mais. Por favor, ajude-me a escolher
os livros.

A mulher trouxe O Principezinho. Naquela noite ela
começou a folheá-lo, viu os desenhos do início, onde aparecia um chapéu – mas o autor diz que, na verdade, para as
crianças, aquilo era uma cobra com um elefante dentro.
"Acho que nunca fui criança", pensou consigo mesma. "Para
mim, isso parece-se mais com um chapéu." Na ausência de
televisão, ela começou a acompanhar o principezinho nas
suas viagens, embora ficasse triste sempre que o tema
"amor" aparecia – já que se tinha proibido de pensar no
que isso significava, ou arriscava-se a suicidar-se. Fora as
dolorosas cenas românticas entre um príncipe, uma rapo-
sa e uma rosa, o livro era muito interessante, e ela não ficou
a assegurar-se a cada cinco minutos se a bateria do telemóvel
estava carregada (morria de medo que a sua grande oportunidade passasse por causa de um descuido).

Maria passou a frequentar a biblioteca, a conversar
com a mulher que parecia tão sozinha quanto ela, a pedir sugestões, a comentar sobre a vida e os autores – até
que o seu dinheiro chegou quase ao fim; mais duas semanas e já nem teria o suficiente para comprar a passagem de volta.

E como a vida espera sempre situações críticas para
então mostrar o seu lado brilhante, finalmente o telefone
tocou.

Três meses depois de ter descoberto a palavra "advogado", e dois meses depois de estar a viver da indemnização recebida, uma agência de modelos perguntou se a Sra. Maria ainda se encontrava naquele número. A resposta foi um "sim" frio, ensaiado durante muito tempo, para não mostrar qualquer ansiedade. Soube então que um árabe, responsável pela moda no seu país, gostara muito das suas fotos, e queria convidá-la para participar num desfile. Maria lembrou-se da decepção recente, mas também pensou no dinheiro de que precisava desesperadamente.

Marcaram um encontro num restaurante muito chique. Encontrou um homem elegante, mais encantador e maduro que o da sua experiência anterior, que lhe perguntou:

– Sabe de quem é aquele quadro? De Joan Miró. Sabe quem é Joan Miró?

Maria ficou calada, como se estivesse concentrada na comida, bastante diferente da dos restaurantes chineses. Por outro lado, anotava mentalmente: devia pedir um livro sobre Miró, na sua próxima visita à biblioteca.

Mas o árabe insistia:

– Aquela mesa ali era sempre usada por Federico Fellini. O que acha dos filmes de Fellini?

Ela respondeu que adorava. O árabe quis entrar em pormenores e Maria, percebendo que a sua cultura não passaria pelo teste, resolveu ir direita ao assunto:

– Não vou ficar aqui a representar para si. Tudo que sei é a diferença entre uma *Coca-Cola* e uma *Pepsi*. O senhor não prefere conversar sobre o desfile de moda?

A franqueza da rapariga pareceu impressionar bem o árabe.

– Falaremos disso quando formos tomar um *drink*, depois do jantar.

Houve uma pausa, enquanto os dois se olhavam e imaginavam o que o outro pensava.

– A menina é muito bonita – insistiu o árabe. – Se resolver tomar um *drink* comigo no meu hotel, dou-lhe mil francos.

Maria percebeu imediatamente. Era culpa da agência de modelos? Era culpa sua, que devia ter-se informado melhor sobre o jantar? Não era culpa da agência, nem dela, nem do árabe: era assim mesmo que as coisas funcionavam. De repente, sentiu que precisava do sertão, do Brasil, do colo da mãe. Lembrou-se do bilhete de Maílson, na praia, em que ele falava em trezentos dólares; naquela altura achara engraçado, acima do que esperava receber por uma noite com um homem. Porém, naquele momento, deu-se conta de que não tinha mais ninguém, absolutamente ninguém no mundo com quem pudesse conversar; estava sozinha, numa cidade estranha, com 22 anos relativamente bem vividos, mas inúteis para a ajudar a encontrar a melhor resposta.

– Sirva-me mais vinho, por favor.

O árabe deitou mais vinho no seu copo, enquanto o pensamento dela viajava mais rapidamente que o Principezinho no seu passeio através de diversos planetas. Viera em busca de aventura, dinheiro, e talvez um marido, sabia que ia acabar por receber propostas como esta, porque não era inocente e já se habituara ao comportamento dos homens. Mas ainda acreditava em agências de modelos, estrelato, um marido rico, família, filhos, netos, roupa, regresso vitorioso à cidade onde nascera. Sonhava superar todas as dificuldades apenas com a sua inteligência, o seu encanto, a sua força de vontade.

Mas a realidade acabara de desabar na sua cabeça. Para surpresa do árabe, ela começou a chorar. O homem, dividido entre o medo do escândalo e o instinto masculino de proteger a rapariga, não sabia o que fazer. Fez sinal ao empregado para pedir a conta, mas Maria interrompeu-o:

— Não faça isso. Sirva-me mais vinho, e deixe-me chorar um pouco.

E Maria pensou no menino que lhe pedira um lápis, no rapaz que a beijara de boca fechada, na alegria de conhecer o Rio de Janeiro, nos homens que a tinham usado sem darem nada em troca, nas paixões e nos amores perdidos ao longo de toda a sua caminhada. A sua vida, apesar da aparente liberdade, era um sem-fim de horas à espera de um milagre, um amor verdadeiro, uma aventura com o mesmo final romântico que sempre vira nos filmes e lera nos livros. Um autor escrevera que o tempo não transforma o homem, a sabedoria não transforma o homem — a única coisa que pode fazer alguém mudar de ideias é o amor. Que tolice! Quem escrevera aquilo conhecia apenas uma face da moeda.

Realmente, o amor era uma das coisas capazes de mudar totalmente a vida de uma pessoa, de um momento para o outro. Mas existia a outra face da moeda, a segunda coisa que fazia o ser humano tomar um curso totalmente distinto do que tinha planeado: chamava-se desespero. Sim, talvez o amor fosse capaz de transformar alguém, mas o desespero transforma mais rapidamente. E agora, Maria? Devia sair a correr, voltar para o Brasil, tornar-se professora de francês, casar com o dono da casa de tecidos? Devia ir um pouco mais adiante, uma só noite, numa cidade onde não conhecia ninguém e ninguém a conhecia? Será que uma só noite e o dinheiro tão fácil a fariam continuar em frente, até a um ponto do caminho onde já não poderia voltar para trás? O que se passava naquele minuto: uma grande oportunidade, ou um teste da Virgem Maria?

Os olhos do árabe passeavam pelo quadro de Joan Miró, pelo lugar onde Fellini comia com o seu editor, pela rapariga que guardava os casacos, pelos clientes que entravam e pelos que saíam.

– A menina não sabia?

– Mais vinho, por favor – foi a resposta de Maria, ainda entre lágrimas.

Rezava para que o empregado não se aproximasse e descobrisse o que estava a acontecer – e o empregado, que assistia a tudo à distância pelo rabo do olho, rezava para que o homem que estava com a rapariga pagasse depressa a conta, porque o restaurante estava cheio e havia gente à espera.

Finalmente, depois do que parecia ser uma eternidade, ela falou:

– Você disse um *drink* por mil francos?

A própria Maria estranhou o tom da sua voz.

– Sim – respondeu o árabe, já arrependido de ter feito a proposta. – Mas eu não quero, de maneira nenhuma...

– Pague a conta. Vamos tomar esse *drink* ao seu hotel.

De novo, parecia uma estranha para si mesma. Até então era uma rapariga gentil, educada, alegre, e nunca teria usado aquele tom de voz com um estranho. Mas parecia que aquela rapariga tinha morrido para sempre: diante dela estava uma outra existência, onde os *drinks* custavam mil francos, ou, em moeda mais universal, à volta de seiscentos dólares.

E tudo correu exactamente como o esperado: foi para o hotel com o árabe, bebeu champanhe, embriagou-se quase completamente, abriu as pernas, esperou que ele tivesse um orgasmo (não lhe ocorreu fingir que também tinha um), lavou-se na casa de banho de mármore, pegou no dinheiro, e deu-se ao luxo de ir para casa de táxi.

Atirou-se para cima da cama e dormiu uma noite sem sonhos.

Do Diário de Maria, no dia seguinte:

Lembro-me de tudo, menos do momento em que tomei a decisão. Curiosamente, não tenho nenhum sentimento de culpa. Antes, costumava ver as raparigas que iam para a cama por dinheiro como gente a quem a vida não tinha deixado nenhuma escolha – e agora vejo que não é assim. Eu podia dizer "sim" ou "não", ninguém me forçava a aceitar nada.

Ando pelas ruas, olho as pessoas, será que elas escolheram as suas próprias vidas? Ou será que elas também, como eu, foram "escolhidas" pelo destino? A dona de casa que sonhava ser modelo, o executivo de banco que pensou ser músico, o dentista que tinha um livro escondido e gostaria de dedicar-se à literatura, a menina que adoraria trabalhar na televisão, mas o que encontrou foi apenas um emprego como caixa de supermercado.

Não tenho a menor pena de mim mesma. Continuo a não ser uma vítima, porque podia ter saído do restaurante, com a minha dignidade intacta e a minha carteira vazia. Podia ter dado lições de moral àquele homem que estava à minha frente, ou tentado fazê-lo ver que diante dos seus olhos estava uma princesa, e portanto era melhor conquistá-la do que comprá-la. Podia ter tomado um sem-número de atitudes, porém – como a maioria dos seres humanos –, deixei que o destino escolhesse que rumo tomar.

Não sou a única, embora pareça que o meu destino é mais ilegal e marginal que o dos outros. Mas, na busca da felicidade, estamos todos empatados: o executivo/músico, o dentista/escritor, a caixa/actriz, a dona de casa/modelo, nenhum de nós é feliz.

Então é isso? Era assim tão fácil? Estava numa cidade estranha, não conhecia ninguém, o que ontem era um suplício, hoje dava-lhe uma imensa sensação de liberdade, não precisava de dar satisfações a ninguém.

Resolveu que, pela primeira vez em muitos anos, ia dedicar um dia inteiro a pensar nela mesma. Até então estava sempre preocupada com os outros: a mãe, os companheiros de escola, o pai, os funcionários da agência de modelos, o professor de francês, o empregado, a bibliotecária, o que as pessoas na rua – que nunca tinha visto – pensavam. Na verdade, ninguém pensava em nada, muito menos nela, uma pobre estrangeira, de quem, se amanhã desaparecesse, ninguém daria pela falta.

Bastava. Saiu cedo, tomou o pequeno-almoço no lugar de sempre, andou um pouco em volta do lago, viu uma manifestação de exilados. Uma mulher, com um cachorro pequeno, comentou que eram curdos e, mais uma vez, em vez de fingir que sabia a resposta para mostrar que era mais culta e inteligente do que pensavam, perguntou:

– De onde vêm os curdos?

Para sua surpresa, a mulher não soube responder. É assim o mundo: todos falam como se soubessem tudo e, se se ousa perguntar, não sabem nada. Entrou num café com ligação à Internet, descobriu que os curdos vinham do Curdistão, um país inexistente, hoje dividido entre a Turquia e o Iraque. Voltou para o lugar onde estava, tentando encontrar a mulher com o cachorro – mas ela já tinha partido, talvez porque o animal não aguentara ficar meia hora a ver um bando de seres humanos com faixas, lenços, músicas e gritos estranhos.

"Isso sou eu. Ou melhor, isso era eu: uma pessoa que fingia saber tudo, escondida no meu silêncio, até que aquele árabe me irritou tanto que tive coragem de dizer que só sabia a diferença entre refrigerantes. Ele ficou chocado? Mudou de ideias a meu respeito? Nada! Deve ter achado a minha espontaneidade fantástica. Saí sempre a perder quando quis parecer mais esperta do que era: chega!"

Lembrou-se da agência de modelos. Será que sabiam o que queria o árabe – e nesse caso, mais uma vez, Maria tinha ficado com o papel de ingénua – ou tinham realmente pensado que ele era capaz de lhe arranjar um trabalho na Arábia?

Fosse como fosse, Maria sentia-se menos só naquela manhã cinzenta de Genève, com a temperatura quase nos zero graus, os curdos a manifestar-se, os autocarros a chegar a horas a cada paragem, os joalheiros a recolocar as jóias nas montras, os bancos a abrir, os mendigos a dormir, os suíços a dirigir-se para o trabalho. Estava menos só porque ao seu lado havia uma outra mulher, talvez invisível para os que passavam. Nunca tinha notado a sua presença, mas ela estava ali.

Sorriu para a mulher invisível ao seu lado, que se parecia com a Virgem Maria, a mãe de Jesus. A mulher sorriu, disse que tomasse cuidado, que as coisas não eram tão simples como pensava. Maria não ligou ao conselho, respondeu que era uma pessoa adulta, responsável pelas suas decisões, e não podia acreditar que houvesse uma conspiração cósmica contra ela. Aprendera que existe gente disposta a pagar mil francos suíços por uma noite, por meia hora entre as suas pernas, e tudo o que precisava de decidir, nos próximos dias, era se pegava nos mil francos suíços que agora tinha em casa, comprava uma passagem de avião e voltava para a cidade onde nascera, ou se ficava mais um pouco, o suficiente para comprar uma casa para os pais, belos vestidos, e passagens para lugares que sonhara visitar um dia.

A mulher invisível ao seu lado tornou a insistir que as coisas não eram tão simples assim, mas Maria, embora estivesse contente com a companhia inesperada, pediu-lhe que não interrompesse os seus pensamentos, precisava de tomar decisões importantes .

Voltou a analisar, desta vez com mais cuidado, a possibilidade de regressar ao Brasil. As suas amigas de colégio, que nunca tinham saído dali, iriam logo comentar que fora despedida do emprego, que nunca tivera talento para ser uma estrela internacional. A sua mãe ficaria triste porque nunca tinha recebido a mesada prometida – embora Maria, nas suas cartas, afirmasse que o Correio roubava o dinheiro. O seu pai olhá-la-ia o resto da vida com aquela expressão "Eu sabia", ela voltaria a trabalhar na loja de tecidos, casar-se-ia com o dono, depois de ter viajado de avião, comido queijo suíço na Suíça, aprendido francês, e andado sobre a neve.

Por outro lado, existiam os *drinks* de mil francos suíços. Talvez não durasse muito tempo – afinal, a beleza passa como o vento –, mas num ano teria dinheiro para recuperar tudo e voltar ao mundo, desta vez ditando as suas próprias regras. O seu único problema concreto é que não sabia o que fazer, como começar. Nos seus tempos da *boîte* familiar, conhecera uma rapariga que mencionara um lugar chamado Rue de Berne.

Dirigiu-se a um dos grandes painéis que se encontravam em todos os cantos de Genève, uma cidade muito gentil para com os turistas, pois não gostava de os ver perdidos. Por isso, aqueles painéis tinham anúncios de um lado e mapas do outro.

Um homem estava ali, e ela perguntou se ele sabia onde era a Rue de Berne. Ele olhou-a intrigado, perguntou se era exactamente essa a rua que procurava, ou se queria saber onde se encontrava a estrada que ia para Berne, a capital da Suíça. Não, respondeu Maria, quero a tal rua que fica aqui mesmo. O homem olhou-a de alto a baixo, e afastou-se sem dizer uma palavra, certo de que talvez estivesse a ser filmado para um desses programas de televisão, onde a grande alegria do público é fazer com que todos pareçam ridículos. Maria ficou quinze minutos olhando a planta – afinal a cidade era pequena – e acabou por encontrar a localização.

A sua amiga invisível, que tinha ficado calada enquanto ela se concentrava no mapa, agora tentava argumentar; não era uma questão de moral, mas de entrar num caminho sem regresso.

Maria disse que, se era capaz de ter dinheiro para se ir embora da Suíça, era capaz de sair de qualquer situação. Além do mais, nenhuma daquelas pessoas com quem se cruzava no seu passeio tinha escolhido o que desejava fazer. Essa era a realidade da vida.

"Estamos num vale de lágrimas" disse à amiga invisível. "Podemos ter muitos sonhos, mas a vida é dura, implacável, triste. O que queres dizer-me: que me condenarão? Ninguém saberá – e este será apenas um período da minha vida."

Com um sorriso doce, mas triste, a amiga invisível desapareceu.

Foi ao parque de diversões, comprou um bilhete para a montanha russa, gritou como todos os outros – mas percebia que não havia perigo, era apenas um brinquedo. Comeu num restaurante japonês, mesmo sem saber exactamente o que comia –, mas sabia que era muito caro, e agora estava disposta a dar-se a todos os luxos. Estava alegre, não precisava de esperar um telefonema, ou contar os centavos que gastava.

No fim do dia, ligou para a agência, disse que o encontro fora muito bom, e que estava agradecida. Se fossem sérios, fariam perguntas sobre as fotos. Se fossem angariadores de mulheres, arranjariam novos encontros.

Atravessou a ponte, voltou para o pequeno quarto, resolveu que não compraria uma televisão, mesmo tendo dinheiro e muitos planos pela frente: precisava de pensar, usar todo o seu tempo para pensar.

Do Diário de Maria naquela noite
(com uma anotação na margem dizendo:
"Não estou muito convencida").

Descobri por que é que um homem paga para ter uma mulher: ele quer ser feliz.

Não paga mil francos apenas para ter um orgasmo. Ele quer ser feliz. Eu também quero, toda a gente quer, e ninguém consegue. Que tenho a perder se resolver transformar-me por algum tempo numa... a palavra é difícil de pensar e escrever... mas vamos lá... o que posso perder se resolver ser uma prostituta por algum tempo?

A honra. A dignidade. O respeito por mim. Pensando bem, nunca tive nenhuma destas três coisas. Não pedi para nascer, não consegui que alguém me amasse, tomei sempre as decisões erradas – agora deixo que a vida decida por mim.

Da agência telefonaram no dia seguinte, fizeram perguntas sobre as fotos, e para quando seria o desfile, já que tinham uma percentagem por cada trabalho. Maria disse que o árabe devia entrar em contacto com eles, deduzindo imediatamente que não sabiam de nada.

Foi à biblioteca, e pediu livros sobre sexo. Se considerava seriamente a possibilidade de trabalhar – por um ano apenas, tinha dito a si mesma – num assunto do qual não conhecia nada, a primeira coisa que precisava de aprender era saber como agir, como dar prazer, e como receber dinheiro em troca.

Para sua decepção, a bibliotecária disse-lhe que tinham apenas alguns tratados técnicos, já que a biblioteca era uma instituição do governo. Maria leu o índice de um dos tratados técnicos, e logo o devolveu: não percebiam nada de felicidade, falavam apenas de erecção, penetração, impotência, precauções, coisas sem o menor sabor. A um dado momento, chegou a considerar seriamente a possibilidade de levar *Considerações Psicológicas sobre a Frigidez da Mulher*, já que, no seu caso, só conseguia ter orgasmos através da masturbação, embora fosse muito agradável ser possuída e penetrada por um homem.

Mas não estava ali em busca de prazer, e sim de trabalho. Agradeceu à bibliotecária, passou numa loja e fez o seu primeiro investimento na possível carreira que se delineava no horizonte – roupa que considerava suficientemente *sexy* para despertar todo o tipo de desejos. Em seguida, foi ao lugar que descobrira no mapa: a Rue de Berne começava numa igreja (coincidência, perto do tal restaurante japonês onde jantara no dia anterior!), transformava-se em montras que vendiam relógios baratos, até que, no seu final, estavam as *boîtes* de que tinha ouvido falar, todas fechadas àquela hora do dia. Tornou a passear à volta do lago, comprou – sem qualquer constrangimento – cinco revistas pornográficas para estudar o que eventualmente devia fazer, esperou a noite, e dirigiu-se de novo ao lugar. Ali, escolheu por acaso um bar com o sugestivo nome brasileiro "Copacabana".

Não tinha decidido nada, dizia a si mesma. Era apenas uma experiência. Nunca se sentira tão bem e tão livre em todo o tempo que passara na Suíça.

– Anda à procura de emprego? – perguntou o dono, que lavava copos por trás de um balcão. O lugar consistia numa série de mesas, um canto com uma espécie de pista de dança, e alguns sofás encostados às paredes. – Nada feito. Para trabalhar aqui, já que obedecemos à lei, é preciso ter pelo menos uma licença de trabalho.

Maria mostrou a sua, e o homem pareceu melhorar o seu mau humor.

– Tem experiência?

Ela não sabia o que dizer: se dissesse que sim, ele perguntaria onde trabalhara antes. Se negasse, ele seria capaz de a recusar.

– Estou a escrever um livro.

A ideia saíra do nada, como se uma voz invisível a ajudasse naquele momento. Notou que o homem sabia que era uma mentira, e fingia que acreditava.

– Antes de tomar qualquer decisão, fale com algumas das raparigas. Temos pelo menos seis brasileiras, e você poderá saber tudo o que a espera.

Maria quis dizer que não precisava de conselhos de ninguém, que tão-pouco tinha tomado uma decisão, mas o homem já fora para o outro lado do bar, deixando-a sozinha, sem mesmo um copo de água para beber.

As raparigas foram chegando, o dono identificou algumas brasileiras, e pediu que conversassem com a recém-chegada. Nenhuma delas parecia disposta a obedecer, Maria deduziu que tinham medo da concorrência. O som da *boîte* foi ligado, algumas canções brasileiras começaram a tocar (afinal, o lugar chamava-se "Copacabana"), entraram raparigas de traços asiáticos, outras que pareciam ter saído das montanhas nevadas e românticas em torno de Genève. Finalmente, depois de quase duas horas de espera, muita sede, alguns cigarros, uma sensação cada vez mais profunda de que estava a tomar uma decisão errada, uma repetição mental infindável da frase "O que faço aqui?", e uma irritação com a total ausência de interesse tanto do proprietário, como das raparigas, uma das brasileiras acabou por se aproximar.

– Por que escolheste este lugar?

Maria podia voltar à história do livro, ou fazer o que fizera em relação aos curdos e a Joan Miró: dizer a verdade.

– Pelo nome. Não sei por onde começar, e também não sei se quero começar.

A rapariga pareceu ter ficado surpreendida com o comentário directo e franco. Bebeu um trago de algo que parecia uísque, escutou uma música brasileira que tocava, fez comentários sobre as saudades da sua terra, disse que o movimento ia ser fraco naquela noite, porque tinham cancelado um grande congresso internacional nas proximidades de Genève. No fim, quando notou que Maria não se ia embora, disse:

– É muito simples, deves obedecer a três regras. A primeira: não te apaixones por ninguém com quem trabalhes ou com quem faças amor. A segunda: não acredites em promessas, e cobra sempre adiantado. A terceira: não uses drogas.

Fez uma pausa.

– E começa logo. Se voltares hoje para casa sem teres arranjado um homem, irás pensar duas vezes, e não terás coragem de voltar.

Maria ia preparada apenas para uma consulta, uma informação sobre as suas possibilidades de um trabalho provisório. Mas percebeu que estava diante daquele sentimento que faz as pessoas tomarem uma decisão rapidamente – desespero! – e enfrentou o desafio.

– Está bem. Começo hoje.

Não confessou que tinha começado ontem. A mulher foi falar ao dono, a quem chamou Milan, e este veio conversar com Maria.

– Tens vestida roupa interior bonita?

Nunca lhe tinham feito aquela pergunta. Nem os seus namorados, nem o árabe, nem as suas amigas, muito menos um estranho. Mas era assim a vida naquele lugar: directos ao assunto.

– Estou com umas cuecas azuis-claras.

"E sem *soutien*" acrescentou, provocante. Mas tudo o que conseguiu foi uma reprimenda:

– Amanhã, veste cuecas pretas, *soutien* e meias compridas. Faz parte do ritual tirar o máximo de roupa possível.

Sem perder mais tempo, e agora com a certeza de que estava diante de alguém que começava, Milan ensinou-lhe o resto do ritual: o Copacabana devia ser um lugar agradável, e não um prostíbulo. Os homens que entravam naquela *boîte* queriam acreditar que iam encontrar uma mulher desacompanhada, sozinha. Se alguém se aproximasse da sua mesa, e não fosse interrompido no percurso (porque, além de tudo, existia o conceito de "cliente exclusivo de certas raparigas"), com toda a certeza diria:

"Quer beber alguma coisa?"

Ao que Maria podia responder sim ou não. Era livre de decidir a sua companhia, embora fosse desaconselhado dizer "não" mais de uma vez por noite. Caso respondesse afirmativamente, pediria um *cocktail* de fruta, que (por casualidade) era a bebida mais cara da lista. Nada de álcool, nada de deixar que o cliente escolhesse por ela.

Depois, devia aceitar um eventual convite para dançar. A maioria dos frequentadores era conhecida e, excepto quanto aos "clientes exclusivos ", sobre os quais não entrou em pormenores, ninguém representava qualquer risco. A polícia e o Ministério da Saúde exigiam exames de sangue mensais, para ver se não eram portadoras de doenças sexualmente transmissíveis. O uso do preservativo era obrigatório, embora não pudessem controlar se esta norma era ou não cumprida. Não podia nunca fazer escândalo – Milan era casado, pai de família, preocupado com a sua reputação e com o bom nome da sua *boîte*.

Continuou a explicar o ritual: depois de dançar, voltavam para a mesa, e o cliente, casualmente, convidava-a a ir para um hotel com ele. O preço normal era de 350 francos, dos quais 50 francos ficariam para Milan, a título de renda da mesa (um artifício legal para evitar, no futuro, complicações jurídicas e a acusação de explorar o sexo com fins lucrativos).

Maria ainda tentou argumentar:

– Mas eu ganhei mil francos por...

O dono fez menção de se afastar, mas a brasileira, que assistia à conversa, interferiu:

– Ela está a brincar.

E, virando-se para Maria, disse em bom e sonante português:

– Este é o lugar mais caro de Genève (ali a cidade chamava-se Genève, e não Genebra). Nunca mais digas isso. Ele conhece o preço do mercado, e sabe que ninguém vai para a cama por mil francos, excepto – se tiver sorte e competência – com os "clientes especiais".

Os olhos de Milan, que mais tarde Maria descobriria ser um jugoslavo que ali vivia há vinte anos, não deixavam margem para qualquer dúvida:

– O preço é de 350 francos.

– Sim, o preço é esse – disse uma humilhada Maria.

Primeiro, ele pergunta qual a cor da roupa de baixo. Em seguida, decide o preço do seu corpo.

Mas não tinha tempo para pensar, o homem continuava a dar instruções: não devia aceitar convites para ir a casas ou a hotéis que não fossem de cinco estrelas. Se o cliente não tivesse onde a levar, ela iria para um hotel localizado a cinco quarteirões dali, mas sempre de táxi, para evitar que outras mulheres de outras *boîtes* na Rue de

Berne se habituassem ao seu rosto. Maria não acreditou nisso, pensou que a verdadeira razão fosse poder receber um convite para trabalhar em melhores condições, noutra *boîte*. Mas guardou os seus pensamentos para si mesma, já que bastava a discussão sobre o preço.

— Repito mais uma vez: assim como no caso dos polícias no cinema, nunca bebas enquanto trabalhas. Vou deixar-te, o movimento começa daqui a pouco.

— Agradece-lhe — disse, em português, a brasileira.

Maria agradeceu. O homem sorriu, mas ainda não tinha terminado a sua lista de recomendações:

— Esqueci-me de uma coisa: o tempo entre o pedido da bebida e o momento de sair não deve ultrapassar, de maneira nenhuma, os 45 minutos — e na Suíça, com relógios por todo o lado, até os jugoslavos e os brasileiros aprendem a respeitar os horários. Lembra-te que eu alimento os meus filhos com a tua comissão.

Estava lembrado.

Deu-lhe um copo de água mineral com gás e limão — podia facilmente passar por *gin* tónico — e pediu que aguardasse.

Aos poucos, a *boîte* começou a encher; os homens entravam, olhavam em volta, sentavam-se sozinhos, e logo aparecia alguém da casa, como se fosse uma festa e todos se conhecessem há muito tempo, e estivessem a aproveitar para se divertirem um pouco depois de um longo dia de trabalho. Por cada homem que arranjava companhia, Maria suspirava, aliviada, embora já se sentisse muito melhor. Talvez porque fosse a Suíça, talvez porque, mais cedo ou mais tarde, encontraria aventura, dinheiro, ou um marido como sempre sonhara. Talvez porque — dava-

-se conta agora – era a primeira vez em muitas semanas que saía à noite e ia para um lugar onde tocavam música e onde podia, de vez em quando, ouvir alguém falar português. Divertia-se com as raparigas à sua volta, rindo, bebendo um *cocktail* de fruta, conversando alegremente.

Nenhuma delas tinha vindo cumprimentá-la ou desejar-lhe sucesso na sua nova profissão, mas isso era normal, afinal de contas era uma concorrente, uma adversária disputando o mesmo troféu. Em vez de ficar deprimida, sentiu orgulho – estava a lutar por si mesma, e não era uma pessoa desamparada. Podia, assim que quisesse, abrir a porta e ir-se embora, mas lembrar-se-ia sempre que tivera a coragem de chegar até ali, negociar e discutir coisas sobre as quais, em nenhum momento da sua vida, ousara pensar. Não era uma vítima do destino, repetia a cada minuto: estava a correr os seus riscos, indo além dos seus limites, vivendo coisas que um dia, no silêncio do seu coração, nos momentos cheios de tédio da velhice, poderia lembrar-se com uma certa dose de saudade – por mais absurdo que isso pudesse parecer.

Tinha a certeza de que ninguém se ia aproximar dela, e amanhã tudo não passaria de uma espécie de sonho louco, que ela jamais ousaria repetir – porque acabara de se dar conta de que mil francos por uma noite só acontece uma vez, era mais seguro comprar o bilhete de avião para o Brasil. Para que o tempo passasse mais depressa, começou a fazer contas de quanto ganhava cada uma daquelas raparigas: se saíssem três vezes por dia, conseguiriam em cada quatro horas de trabalho o equivalente a dois meses do seu salário na loja de tecidos.

Tudo isso? Bem, ela ganhara mil francos numa noite, mas talvez fosse sorte de principiante. De qualquer maneira, os rendimentos de uma prostituta normal era mais, muito mais do que poderia conseguir a dar aulas de francês na sua terra. Tudo isso tendo como único esforço ficar num bar durante algum tempo, dançar, abrir as pernas, e ponto final. Nem mesmo conversar era necessário.

O dinheiro podia ser uma razão, continuou a pensar. Mas era tudo? Ou as pessoas que estavam ali, clientes e mulheres, conseguiam divertir-se de alguma maneira? Será que o mundo era muito diferente do que lhe tinham contado na escola? Se usasse preservativo, não havia nenhum risco; nem mesmo havia o risco de ser reconhecida por alguém da sua terra. Ninguém visita Genève, excepto – como lhe disseram uma vez no curso – os que gostavam de frequentar bancos. Mas os brasileiros, na sua maioria, gostam mesmo é de frequentar lojas, de preferência em Miami ou Paris. Trezentos francos por dia, cinco dias por semana.

Uma fortuna! O que continuavam aquelas raparigas a fazer ali, se num mês tinham dinheiro suficiente para voltar e comprar uma casa para as suas mães? Será que trabalhavam há pouco tempo?

Ou – e Maria teve medo da própria pergunta –, ou será que era bom?

De novo sentiu vontade de beber – o champanhe ajudara muito no dia anterior.

– Aceita um *drink*?

Diante dela, um homem de aproximadamente 30 anos, com um uniforme de uma companhia aérea.

O mundo entrou em câmara lenta, e Maria experimentou a sensação de sair do seu corpo, e observar-se do lado de fora. Morrendo de vergonha, mas lutando para controlar o rubor no seu rosto, fez que sim com a cabeça, sorriu, e percebeu que a partir daquele minuto a sua vida tinha mudado para sempre.

Cocktail de fruta, conversa, o que faz aqui, está frio, não é verdade? Gosto desta música, pois eu prefiro Abba, os suíços são frios, a menina é do Brasil? Conte-me sobre a sua terra. O carnaval. As brasileiras são lindas, sabia?

Sorrir e aceitar o elogio, fazer talvez um ar levemente tímido. Dançar de novo, mas prestando atenção ao olhar de Milan, que às vezes coça a cabeça e aponta para o relógio no seu pulso. Cheiro do perfume do homem, percebe depressa que tem de se habituar aos cheiros. Pelo menos este é de perfume. Dançam agarrados. Mais um *cocktail* de fruta, o tempo passa, ele não tinha dito que eram 45 minutos? Olha o relógio, ele pergunta se está à espera de alguém, ela diz que daqui a uma hora virão alguns amigos, ele convida-a para sair. Hotel, dinheiro, duche depois do sexo (o homem comentou, intrigado, que ninguém tinha feito isso antes). Não é Maria, é alguma outra pessoa que está no seu corpo, que não sente nada, apenas cumpre mecanicamente uma espécie de ritual. É uma actriz. Milan tinha-lhe ensinado tudo, menos a despedir-se do cliente, ela agradece, ele também está sem jeito, e com sono.

Reluta, quer voltar para casa, mas deve ir à *boîte* entregar os 50 francos, e então novo homem, novo *cocktail*, perguntas sobre o Brasil, hotel, duche de novo (desta vez sem comentários), regressa ao bar, o dono pega na sua comissão, diz que se pode ir embora, o movimento está fraco naquele dia. Não apanha um táxi, faz toda a Rue de Berne a pé, olhando as outras *boîtes*, as montras com relógios, a igreja na esquina (fechada, sempre fechada...). Ninguém a olha – como sempre.

Caminha pelo frio. Não sente a temperatura, não chora, não pensa no dinheiro que ganhou, está numa espécie de transe. Algumas pessoas nasceram para enfrentar a vida sozinhas, isso não é bom nem mau, é apenas a vida. Maria é uma dessas pessoas.

Começa a esforçar-se por reflectir sobre o que aconteceu, começou hoje e no entanto já se considera uma profissional, parece que foi há muito tempo, parece que fez isto toda a sua vida. Tem um estranho amor por si mesma, está contente por não ter fugido. Agora precisa de decidir se vai continuar. Se continuar, irá ser a melhor – coisa que nunca foi, em momento algum.

Mas a vida estava a ensinar-lhe – muito rapidamente – que só os fortes sobrevivem. Para ser forte, precisa de ser mesmo a melhor, não há alternativa.

Do Diário de Maria, uma semana depois:

Eu não sou um corpo que tem uma alma, sou uma alma que tem uma parte visível, chamada corpo. Durante todos estes dias, ao contrário do que podia imaginar, esta alma esteve muito mais presente. Não me dizia nada, não me criticava, não sentia pena de mim: apenas me observava.

Hoje, dei-me conta da razão por que isso acontecia: há muito tempo que não penso em algo chamado amor. Parece que ele foge de mim, como se já não fosse importante, e não se sentisse bem-vindo. Mas, se não pensar em amor, não serei nada.

Quanto voltei ao "Copacabana", no segundo dia, já era vista com muito mais respeito – pelo que percebi, muitas raparigas aparecem por uma noite, e não aguentam continuar. Quem vai adiante, passa a ser uma espécie de aliada, de companheira – porque pode perceber as dificuldades e as razões, ou melhor dizendo, a ausência de razões por ter escolhido este tipo de vida.

Todas sonham com alguém que chegue e as descubra como verdadeiras mulheres, companheiras, sensuais, amigas. Mas todas sabem, desde o primeiro minuto de um novo encontro, que nada disso irá acontecer.

Preciso de escrever sobre o amor. Preciso de pensar, pensar, escrever e escrever sobre o amor – ou a minha alma não aguenta.

Mesmo pensando que o amor era uma coisa muito importante, Maria não se esqueceu do conselho que lhe deram na primeira noite, e procurou vivê-lo apenas nas páginas do seu diário. De resto, procurava desesperadamente um meio de ser a melhor, de conseguir muito dinheiro em pouco tempo, de não pensar muito, e de encontrar uma boa razão para aquilo que fazia.

Essa era a parte mais difícil: qual a verdadeira razão?

Fazia aquilo porque precisava. Não era bem assim – toda a gente precisa de ganhar dinheiro, e nem todos escolhem viver completamente à margem da sociedade. Fazia-o porque queria ter uma experiência nova. Tão-pouco; o mundo estava cheio de experiências novas – como esquiar ou andar de barco no lago de Genève, por exemplo – o que ela nunca tinha ousado. Fazia-o porque já não tinha mais nada a perder, a sua vida era uma frustração diária e constante.

Não, nenhuma das respostas era verdadeira, era melhor esquecer o assunto e continuar simplesmente a viver o que estava no seu caminho. Tinha muitas coisas em comum com as outras prostitutas, e com o resto das mulheres que conhecera na sua vida: casar e ter uma vida segura era o maior de todos os sonhos. As que não pensavam nisso, ou tinham marido (quase um terço das suas companheiras era casada), ou vinham de uma experiência recente de divórcio. Por causa disso, para se perceber a si mesma, ela tentou – com todo o cuidado – perceber por que razão é que as suas companheiras tinham escolhido aquela profissão.

Não ouviu nada de novo, e fez uma lista das respostas:

A. Diziam que precisavam de ajudar o marido em casa (E os ciúmes? E se aparecesse um amigo do marido? Mas não teve coragem de ir tão longe).

B. Comprar uma casa para a mãe (igual à sua própria desculpa, que parecia nobre, mas era a mais comum).

C. Arranjar dinheiro para a passagem de volta (colombianas, tailandesas, peruanas, brasileiras, adoravam este motivo, embora já tivessem ganho muitas vezes o dinheiro necessário, e logo se tivessem desfeito dele, com medo de realizarem o sonho).

D. Por prazer (não combinava muito com o ambiente, soava a falso).

E. Não tinham conseguido fazer mais nada (também não era uma boa razão, a Suíça estava cheia de empregos como mulher-a-dias, motorista, cozinheira).

Enfim, não descobriu nenhum bom motivo, e deixou de tentar explicar o universo à sua volta.

Viu que o proprietário, Milan, tinha razão: nunca mais ninguém lhe tinha oferecido mil francos suíços por passar algumas horas com ela. Por outro lado, ninguém protestava quando pedia 350 francos, como se já soubessem e perguntassem apenas para humilhar – ou para não terem surpresas desagradáveis.

Uma das raparigas comentou:

– A prostituição é um negócio totalmente ao contrário dos outros; quem começa ganha mais, quem tem experiência ganha menos. Finge sempre que és novata.

Ainda não sabia o que eram os "clientes especiais", que tinham sido apenas mencionados na primeira noite – ninguém tocava nesse assunto. A pouco e pouco, foi aprendendo alguns dos truques mais importantes da profissão, como nunca perguntar pela vida pessoal do cliente, sorrir e falar o mínimo possível, nunca marcar encontros fora da *boîte*. O conselho mais importante veio de uma filipina chamada Nyah:

– Deves gemer na altura do orgasmo. Isso faz com que o cliente te permaneça fiel.

– Mas porquê? Eles pagam para se satisfazerem.

– Estás enganada. Um homem não prova que é macho quando tem uma erecção. Ele é macho se é capaz de dar prazer a uma mulher. Se for capaz de dar prazer a uma prostituta, então, julgar-se-á o melhor de todos.

E assim se passaram seis meses: Maria aprendeu todas as lições de que precisava – como, por exemplo, o funcionamento do "Copacabana". Sendo um dos lugares mais caros da Rue de Berne, a clientela era composta na sua maioria por executivos, que tinham permissão de chegar tarde a casa já que "jantavam fora com clientes", mas o limite para esses "jantares" não devia ultrapassar as 23 horas. A maioria das prostitutas tinham entre 18 e 22 anos, e ficavam uma média de dois anos na casa, logo sendo substituídas por outras recém-chegadas. Iam então para o "Néon", depois para o "Xenium", e à medida que a idade da mulher aumentava, o preço descia, e as horas de trabalho evaporavam-se. Terminavam quase todas no "Tropical Extasy", que aceitava mulheres com mais de trinta anos. Uma vez chegadas ali, a única saída era sustentar-se arranjando o suficiente para o almoço e a renda, com um ou dois estudantes por dia (média de preço por saída: o suficiente para comprar uma garrafa de vinho barato).

Foi para a cama com muitos homens. Nunca se importava com a idade, ou com a roupa que usavam, mas o seu "sim" ou "não" dependia do cheiro que exalavam. Nada tinha contra o tabaco, mas detestava os perfumes baratos, os que não tomavam banho, e os que tinham a roupa impregnada de álcool. O "Copacabana" era um lugar tranquilo, e a Suíça talvez fosse o melhor país do mundo para se trabalhar como prostituta – desde que se tivesse visto de residência e trabalho, papéis em dia, e se pagasse a segurança social religiosamente; Milan passava a vida a repetir que não desejava que os seus filhos o vissem nas páginas de jornais sensacionalistas, e conseguia ser mais rígido do que um polícia quando se tratava de verificar a situação das suas contratadas.

Enfim, uma vez vencida a barreira da primeira ou da segunda noite, era uma profissão como qualquer outra, onde se trabalhava duramente, se lutava contra a concorrência, se esforçava por se manter um padrão de qualidade, se cumpria horários, se "stressava" um pouco, se protestava por causa do movimento, e se descansava aos domingos. A maior parte das prostitutas tinham algum tipo de fé, e frequentavam os seus cultos, as suas missas, as suas preces, os seus encontros com Deus.

Maria, porém, lutava com as páginas do seu diário para não perder a sua alma. Descobriu, para sua surpresa, que um em cada cinco clientes não estava lá para fazer amor, mas para conversar um pouco. Pagavam o preço da tabela, o hotel, e na altura de se despirem diziam que não era necessário. Queriam falar das pressões do trabalho, da mulher que os traía com alguém, do facto de se sentirem sozinhos, sem terem com quem conversar (ela conhecia muito bem esta situação).

No início, achou muito estranho. Até que um dia, quando ia para o hotel com um francês importante, encarregue de caçar talentos para altos cargos executivos (ele explicava-lhe isto como se fosse a coisa mais interessante do mundo), ouviu do seu cliente o seguinte comentário:

– Sabe quem é a pessoa mais solitária do mundo? É o executivo que tem uma carreira bem-sucedida, ganha um bom ordenado, goza da confiança de quem está acima e abaixo dele, tem uma família com quem passa as férias, filhos que ajuda nos deveres escolares, e um belo dia aparece um tipo como eu, com a seguinte proposta: "Quer mudar de emprego, ganhando o dobro?"

»Esse homem, que tem tudo para se sentir desejado e feliz, torna-se a pessoa mais miserável do planeta. Porquê? Porque não tem com quem conversar. Está tentado a aceitar a minha proposta, e não pode comentá-la com os colegas do trabalho, pois estes fariam tudo para convencê-lo a ficar onde está. Não pode falar com a mulher, que durante anos acompanhou a sua carreira vitoriosa, percebe muito de segurança, mas não percebe nada de riscos. Não pode falar com ninguém, e está diante da grande decisão da sua vida. Você pode imaginar o que sente este homem?

Não, não era essa a pessoa mais solitária do mundo, porque Maria conhecia a pessoa mais sozinha à face da terra: ela mesma. Mesmo assim, concordou com o seu cliente, na esperança de uma boa gorjeta – que acabou por se realizar. E a partir daquele comentário, percebeu que precisava de descobrir algo para libertar os seus clientes da pressão enorme que pareciam carregar; isso significaria uma melhoria na qualidade dos seus serviços, e uma possibilidade de ganhar dinheiro extra.

Quando percebeu que libertar a tensão da alma era tão ou mais lucrativo do que libertar a tensão do corpo, voltou a frequentar a biblioteca. Começou a pedir livros sobre problemas conjugais, psicologia, política, e a bibliotecária estava encantada – porque a menina, pela qual tinha tanto carinho, desistira de pensar em sexo e agora concentrava-se em coisas mais importantes. Passou a ler regularmente os jornais, acompanhando, sempre que possível, as páginas de economia – já que a maior parte dos seus clientes eram executivos. Pediu livros de auto-ajuda – pois quase todos lhe pediam conselhos. Estudou tratados sobre a emoção humana – uma vez que todos sofriam, por uma razão ou por outra. Maria era uma prostituta respeitável, diferente, e ao fim de seis meses de trabalho tinha uma clientela selecta, numerosa, e fiel, despertando a inveja, o ciúme, mas também a admiração das companheiras.

Quanto ao sexo, até àquele momento nada tinha acrescentado à sua vida: era abrir as pernas, exigir que colocassem um preservativo, gemer um pouco para aumentar a possibilidade de uma gorjeta (graças à filipina Nyah, ela descobrira que os gemidos podiam render 50 francos a mais), e tomar um duche logo depois da relação, de modo que a água lavasse um pouco a sua alma. Nada de variações. Nada de beijos – o beijo, para uma prostituta, era mais sagrado do que qualquer outra coisa. Nyah ensinara-lhe que devia guardar o beijo para o amado da sua vida, como no conto da Bela Adormecida; um beijo que a faria despertar do sono, e voltar ao mundo dos contos de fadas, no qual a Suíça se transformava de novo no país do chocolate, das vacas e dos relógios.

Também nada de orgasmos, prazer, ou coisas excitantes. Na busca para ser a melhor de todas, Maria andara a assistir a algumas sessões de filmes pornográficos, esperando aprender alguma coisa que pudesse usar no seu trabalho. Tinha visto muitas coisas interessantes, mas que não ousava usar com os seus clientes – demoravam muito, e Milan ficava sempre contente quando as mulheres se encontravam com três pessoas por noite.

No fim daquele meio ano, Maria tinha depositado 60 000 francos no banco, tinha passado a comer em restaurantes mais caros, comprado uma televisão a cores (que nunca usava, mas que gostava de ter por perto) e agora considerava seriamente a possibilidade de se mudar para um apartamento melhor. Já podia comprar livros, mas continuava a frequentar a biblioteca, que era a sua ponte para um mundo real, mais sólido e mais duradouro. Gostava de conversar durante aqueles minutos com a bibliotecária, que estava feliz porque Maria finalmente arranjara um amor, e talvez um emprego, embora não perguntasse nada, já que os suíços são tímidos e discretos (verdadeira mentira, porque no "Copacabana" e na cama eram desinibidos, alegres ou complexados como qualquer outro povo do mundo).

*Do Diário de Maria, numa tarde
morna de domingo:*

*Todos os homens, baixos ou altos, arrogantes ou
tímidos, simpáticos ou distantes, têm uma caracterís-
tica em comum: chegam à boîte com medo. Os mais
experientes escondem o seu pavor falando alto, os inibi-
dos não conseguem disfarçar e começam a beber para
ver se a sensação desaparece. Mas não tenho dúvidas,
com raríssimas excepções – e esses são os "clientes especiais",
que Milan ainda não me apresentou – eles estão assustados.*

*Com medo de quê? Na verdade, eu é que devia
tremer. Sou eu que saio, vou para um lugar estranho,
não tenho força física, não levo armas. Os homens são
muito estranhos, e não estou a falar apenas daqueles
que vêm ao "Copacabana", mas de todos os que conheci até hoje. Podem bater, podem gritar, podem ameaçar,
mas morrem de medo de uma mulher. Talvez não
daquela com quem se casaram, mas existe sempre uma
que os assusta e os submete a todos os seus caprichos.
Nem que seja a própria mãe.*

Os homens que conhecera desde que chegara a Genève faziam tudo para parecerem seguros de si, como se governassem o mundo e as suas próprias vidas; mas logo atrás estava o medo da esposa, o pânico de não conseguirem ter uma erecção, de não serem suficientemente machos diante de uma simples prostituta, a quem pagavam. Se fossem a uma loja e não lhes agradasse o calçado, seriam capazes de voltar com o recibo na mão, e exigir o reembolso. Porém, embora também estivessem a pagar por uma companhia, se não tivessem uma erecção nunca mais voltariam à mesma *boîte*, porque achavam que a história já estaria espalhada entre todas as outras mulheres dali, e isso era uma vergonha.

"Sou eu quem devia ter vergonha. Mas, na verdade, são eles que a têm."

Para evitar estes constrangimentos, Maria procurava deixá-los sempre à vontade, e quando algum deles parecia mais bêbado ou mais frágil que o normal, evitava o sexo, e concentrava-se apenas em carícias e masturbação – o que os deixava muito contentes – por mais absurda que fosse esta situação, já que podiam masturbar-se sozinhos.

Era sempre preciso evitar que ficassem envergonhados. Aqueles homens, tão poderosos e arrogantes nos seus trabalhos, lidando constantemente com empregados, clientes, fornecedores, preconceitos, segredos, falsas atitudes, hipocrisia, medo, opressão, terminavam o dia numa *boîte*, e não se importavam de pagar 350 francos suíços para deixarem de ser eles mesmos durante a noite.

"Durante a noite? Ora, Maria, estás a exagerar. Na verdade, são 45 minutos, e mesmo assim, se descontarmos tirar a roupa, fazer algum falso carinho, conversar alguma coisa óbvia, vestir a roupa, reduziremos esse tempo para onze minutos de sexo propriamente dito."

Onze minutos. O mundo girava em torno de algo que demorava apenas onze minutos.

E por causa desses onze minutos num dia de 24 horas (considerando que todos faziam amor com as suas mulheres, todos os dias, o que era um verdadeiro absurdo e uma mentira completa), eles casavam, sustentavam a família, aguentavam o choro das crianças, desmanchavam-se em explicações quando chegavam tarde a casa, olhavam dezenas, centenas de outras mulheres com quem gostariam de passear em volta do lago de Genève, compravam roupa cara para eles, roupa mais cara ainda para elas, pagavam prostitutas para compensar o que lhes faltava, sustentavam uma gigantesca indústria de cosméticos, dietas, ginástica, pornografia, poder – e quando se encontravam com outros homens, ao contrário do que se diz, nunca falavam de mulheres. Conversavam sobre empregos, dinheiro e desporto.

Alguma coisa estava muito mal na civilização; e essa coisa não era a desflorestação amazónica, a camada de ozono, a morte dos pandas, o tabaco, os alimentos cancerígenos ou a situação nas penitenciárias como diziam os jornais.

Era exactamente aquilo em que ela trabalhava: o sexo.

Mas Maria não estava ali para salvar a humanidade, e sim para aumentar a sua conta bancária, sobreviver por mais seis meses à solidão e à escolha que fizera, enviar regularmente uma mesada à mãe (que ficou muito contente ao saber que a ausência de dinheiro era devida apenas ao correio suíço, que não funcionava tão bem como o correio brasileiro), comprar tudo com que sempre sonhara e nunca tivera. Mudou-se para um apartamento muito melhor, com aquecimento central (embora o Verão já tivesse chegado), e da sua janela podia ver uma igreja, um restaurante japonês, um supermercado, e um simpático café, que costumava frequentar para ler os jornais.

De resto, conforme prometera a si mesma, era só aguentar mais meio ano na rotina de sempre: "Copacabana", aceita um *drink*, dançar, o que acha do Brasil, hotel, cobrar adiantado, conversa e saber tocar nos pontos exactos – tanto no corpo como na alma, principalmente na alma –, ajudar nos problemas íntimos, ser amiga por meia hora, das quais onze minutos serão gastos em abrir as pernas, fechar as pernas, gemidos fingindo prazer. Obrigado, espero vê-lo na próxima semana, você é realmente um homem, vou ouvir o resto da história na próxima vez que nos encontrarmos, excelente gorjeta, afinal não precisava porque eu tive muito prazer em estar consigo.

E, sobretudo, nunca se apaixonar. Este era o mais importante, o mais sensato de todos os conselhos que a brasileira lhe dera – antes de desaparecer, talvez porque se apaixonara. Porque, por incrível que pudesse parecer, em dois meses de trabalho já tivera várias propostas de casamento, sendo que pelo menos três eram muito sérias: um director de uma firma de contabilidade, o tal piloto com quem saíra na primeira noite, e o dono de um restaurante na parte alta da cidade. Os três prometeram-lhe "tirá-la daquela vida", e dar-lhe uma casa decente, um futuro, talvez filhos e netos.

Tudo por apenas onze minutos por dia? Não era possível. Agora, depois da sua experiência no "Copacabana", sabia que não era a única pessoa a sentir-se sozinha. E o ser humano pode tolerar uma semana de sede, duas semanas de fome, muitos anos sem tecto – mas não pode tolerar a solidão. É a pior de todas as torturas, de todos os sofrimentos. Aqueles homens, e os muitos outros que queriam a sua companhia, sofriam como ela com este sentimento destruidor – a sensação de que ninguém nesta terra se importava com eles.

Para evitar as tentações do amor, o seu coração estava apenas no seu diário. Entrava no "Copacabana" apenas com o corpo e o cérebro, cada vez mais perceptivo, mais apurado. Conseguira convencer-se de que chegara a Genève e terminara na Rue de Berne por alguma razão maior, e cada vez que alugava um livro na biblioteca, confirmava: ninguém escrevera acertadamente sobre estes onze minutos mais importantes do dia. Talvez fosse esse o seu destino, por mais duro que pudesse parecer no momento: escrever um livro, contar a sua história, a sua aventura.

Isso, Aventura. Embora fosse uma palavra proibida, que ninguém ousava pronunciar, que a maior parte preferia ver na televisão, em filmes que passavam e repassavam nas mais diversas horas do dia, era isso o que ela buscava. Combinava com desertos, com viagens para lugares desconhecidos, com homens misteriosos entabulando conversa num barco no meio do rio, com aviões, estúdios de cinema, tribos de Índios, glaciares, África.

Gostou da ideia do livro, e chegou a pensar no título: *Onze Minutos*.

Começou a classificar os clientes em três tipos: os Exterminadores (nome dado em homenagem a um filme de que gostara muito), que já chegavam a cheirar a álcool, fingindo que não olhavam para ninguém, mas achando que todos olhavam para eles, dançando pouco e indo directos ao assunto do hotel. Os "Pretty Woman" (também por causa de um filme), que procuravam ser elegantes, gentis, carinhosos, como se o mundo dependesse daquele tipo de bondade para voltar ao seu eixo, como se andassem pela rua e entrassem por acaso na *boîte*; eram doces no início, e inseguros quando chegavam ao hotel, e por causa disso acabavam por ser mais exigentes que os Exterminadores. Finalmente, os Padrinhos (também por causa de outro filme), que tratavam o corpo de uma mulher como se trata uma mercadoria. Eram os mais autênticos, dançavam, conversavam, não deixavam gorjeta, sabiam o que compravam e quanto valia, nunca se deixariam levar pela conversa de qualquer mulher que escolhessem. Esses eram os únicos que, de uma maneira muito subtil, conheciam o significado da palavra Aventura.

Do Diário de Maria, num dia em que estava menstruada e não podia trabalhar:

Se eu tivesse de contar hoje a minha vida a alguém, poderia fazê-lo de tal maneira que me achariam uma mulher independente, corajosa e feliz. Nada disso: estou proibida de mencionar a única palavra que é muito mais importante do que os onze minutos – amor.

Durante toda a minha vida, entendi o amor como uma espécie de escravidão consentida. É mentira: a liberdade só existe quando ele está presente. Quem se entrega totalmente, quem se sente livre, ama plenamente.

E quem ama plenamente, sente-se livre.

Por causa disso, apesar de tudo o que posso viver, fazer, descobrir, nada faz sentido. Espero que este tempo passe depressa, para que eu possa voltar à busca de mim mesma – sob a forma de um homem que me entenda, que não me faça sofrer.

Mas que disparate é este de que falo? No amor, ninguém pode magoar ninguém; cada um de nós é responsável por aquilo que sente, e não podemos culpar o outro por isso.

Já me senti ferida quando perdi os homens por que me apaixonei. Hoje estou convencida de que ninguém perde ninguém, porque ninguém possui ninguém.

Essa é a verdadeira experiência da liberdade: ter a coisa mais importante do mundo, sem a possuir.

5

Outros três meses se passaram, o Outono chegou, finalmente chegou também a data marcada no calendário: noventa dias para a viagem de volta. Tudo se passara tão rapidamente e tão lentamente, pensou ela, descobrindo que o tempo corre em duas dimensões diferentes, dependendo do estado de espírito, mas em ambos os casos a aventura chegava ao fim. Poderia continuar, é claro – mas não se esquecia do sorriso triste da mulher invisível que a acompanhara no passeio à volta do lago, ao dizer que as coisas não eram tão simples assim. Por mais que estivesse tentada a continuar, por mais preparada que estivesse para os desafios que tinham surgido no seu caminho, todos estes meses em que convivera apenas consigo mesma tinham-lhe ensinado que existe um momento certo para interromper tudo. Daqui a noventa dias, voltava para o interior do Brasil, comprava uma pequena fazenda (afinal, ganhara mais do que o esperado), algumas vacas (brasileiras, não suíças), convidava o pai e a mãe para morarem com ela, contratava dois empregados, e punha a empresa a funcionar.

Embora achasse que o amor é a verdadeira experiência da liberdade, e que ninguém pode possuir outra pessoa, ainda alimentava secretos desejos de vingança, e eles
faziam parte do seu regresso triunfante ao Brasil. Depois
de montar a sua fazenda, iria à cidade, passaria em frente
do banco onde trabalhava o rapaz que tinha saído com a
sua melhor amiga, e faria um grande depósito – em francos suíços.

"Olá, como vais, não me reconheces?" diria ele. Ela
fingiria um grande esforço de memória, e acabaria por
dizer que não, que passara um ano inteiro na EU-RO-PA
(pronunciar bem devagar, para que todos os seus colegas
ouçam). Melhor dizendo, na SU-Í-ÇA (ia parecer mais exóti-
co e mais ousado do que França), onde existem os melhores bancos do mundo.

Quem era ele? Ele mencionaria os tempos de colégio.
Ela diria "Ah... acho que me lembro", mas fazendo um ar
de quem não se lembrava. Pronto, a vingança estava con-
sumada, agora era trabalhar mais, e quando o negócio já
estivesse a andar como previa, ela poderia dedicar-se
àquilo que mais lhe importava na vida: descobrir o seu
verdadeiro amor, o homem que a esperara todos estes
anos, mas que ela ainda não tivera oportunidade de
conhecer.

Maria resolveu esquecer para sempre a ideia de escrever um livro com o título *Onze Minutos*. Precisava agora
de se concentrar na fazenda, nos planos para o futuro, ou
acabaria por adiar a sua viagem, um risco fatal.

Naquela tarde, saiu para se encontrar com a sua melhor – e única – amiga, a bibliotecária. Pediu um livro sobre pecuária e administração de fazendas. A bibliotecária confessou:

– Sabe, há alguns meses, quando veio aqui em busca de títulos sobre sexo, cheguei a temer pelo seu destino. Afinal de contas, muitas raparigas bonitas deixam-se levar pela ilusão do dinheiro fácil, e esquecem que um dia serão velhas, e já não terão oportunidade de encontrar o homem da sua vida.

– A senhora está a falar de prostituição?

– Uma palavra muito forte.

– Como já disse, trabalho numa empresa de importação e exportação de carne. Porém, se tivesse a oportunidade de me prostituir, as consequências seriam assim tão graves se parasse na altura certa? Afinal de contas, ser jovem também significa fazer coisas erradas.

– Todos os drogados dizem isso; basta saber a altura de parar. E ninguém pára.

– A senhora deve ter sido uma mulher muito bonita, nascida num país que respeita os seus habitantes. Isso bastou-lhe para que se sentisse feliz?

– Orgulho-me da forma como superei os obstáculos.

Devia continuar a história? Bem, aquela rapariga precisava de aprender algo sobre a vida.

– Tive uma infância feliz, estudei numa das melhores escolas de Berne, vim trabalhar para Genève, encontrei e casei-me com o homem que amava. Fiz tudo por ele, ele também fez tudo por mim, o tempo passou, e veio a reforma. Quando ficou livre para usar o seu tempo como quisesse, os seus olhos ficaram mais tristes – porque, talvez, em toda a sua vida, nunca pensou em si mesmo. Nunca discutimos seriamente, não tivemos grandes emoções, ele nunca me traiu ou me desrespeitou em público. Vivemos uma vida normal, mas tão normal que, sem trabalho, ele se sentiu inútil, insignificante, e morreu um ano depois, de cancro.

Dizia a verdade, mas podia influenciar de maneira negativa a menina à sua frente.

– Seja como for, é melhor uma vida sem surpresas – concluiu. – Talvez o meu marido tivesse morrido antes, se não fosse assim.

Maria saiu decidida a fazer um estudo sobre fazendas. Como tinha a tarde livre, resolveu passear um pouco, e acabou por reparar – na parte alta da cidade — numa pequena placa amarela com o desenho de um Sol e uma inscrição: "Caminho de Santiago". O que era aquilo? Como havia um bar do outro lado da rua, e como aprendera a fazer perguntas sobre tudo o que desconhecia, resolveu entrar e informar-se.

– Não faço ideia – disse a rapariga atrás do balcão.

Era um lugar elegante, e o café custava três vezes mais do que o normal. Mas já que tinha dinheiro, e já que estava ali, pediu um café, e resolveu dedicar as próximas horas a aprender tudo sobre administração de fazendas. Abriu o livro com entusiasmo, mas não conseguiu concentrar-se na leitura – era aborrecidíssimo. Seria muito mais interessante conversar com um dos seus fregueses sobre o tema – eles conheciam sempre a melhor maneira de administrar dinheiro. Pagou o café, levantou-se, agradeceu à rapariga que a servira, deixou uma boa gorjeta (tinha criado uma superstição a respeito de gorjetas: se desse muito receberia também muito), caminhou para a porta, e, sem se dar conta da importância daquele momento, ouviu a frase que mudaria para sempre os seus planos, o seu futuro, a sua fazenda, a sua ideia de felicidade, a sua alma de mulher, a sua atitude de homem, o seu lugar no mundo.

– Espere um pouco.

Olhou surpreendida para o lado. Aquele era um bar respeitável, não era o "Copacabana", onde os homens têm direito a dizer isso, embora as mulheres possam responder "Vou sair, e você não pode impedir-me".

Preparava-se para ignorar o comentário, mas a curiosidade foi mais forte, e ela virou-se na direcção da voz. O que viu foi uma cena estranha: um homem de aproximadamente trinta anos (ou será que devia pensar "um rapaz de aproximadamente trinta anos"? O seu mundo tinha envelhecido muito rapidamente), de cabelos compridos, ajoelhado no chão, com vários pincéis espalhados ao seu lado, a desenhar um homem, sentado numa cadeira, com um copo de anis ao seu lado. Não tinha reparado neles quando entrara.

– Não se vá embora. Estou a acabar este retrato, e gostaria de a pintar também.

Maria respondeu – e, ao responder, criou o laço que faltava no Universo.

– Não estou interessada.

– Você tem luz. Deixe-me pelo menos fazer um esboço.

O que era um esboço? O que era "luz"? Por outro lado, era uma mulher vaidosa. Imagine, alguém que parecia sério fazer o seu retrato! Começou a delirar: e se fosse um pintor famoso? Ela seria imortalizada para sempre numa tela! Exposta em Paris, ou em Salvador da Bahia! Um mito!

Por outro lado, o que fazia aquele homem, com toda aquela confusão à sua volta, num bar tão caro, e possivelmente bem frequentado?

Adivinhando o seu pensamento, a rapariga que atendia os clientes disse-lhe baixinho:

– Ele é um artista muito conhecido.

A sua intuição não falhara. Maria procurou controlar-se e manter o sangue-frio.

– Vem aqui de vez em quando, e traz sempre um cliente importante. Diz que gosta do ambiente, que fica inspirado; está a fazer um painel com pessoas que representem a cidade, foi uma encomenda da Câmara Municipal.

Maria olhou para o homem que estava a ser pintado. Novamente, a empregada leu-lhe o pensamento.

– É um químico que fez uma descoberta revolucionária. Ganhou o prémio Nobel.

– Não se vá embora – repetiu o pintor. – Termino daqui a cinco minutos. Peça o que quiser e ponha na minha conta.

Como que hipnotizada pela ordem, ela sentou-se no bar, pediu um *cocktail* de anis (como não costumava beber, a única coisa que lhe ocorreu foi imitar o tal prémio Nobel), e ficou a observar o homem a trabalhar. "Não represento a cidade, por isso ele deve estar interessado noutra coisa. Mas não faz o meu tipo", pensou automaticamente, repetindo o que dizia sempre a si mesma desde que começara a trabalhar no "Copacabana"; era a sua tábua de salvação e a sua renúncia voluntária às armadilhas do coração.

Uma vez isso bem claro, não custava esperar um pouco – talvez a rapariga ao balcão estivesse certa, e aquele homem pudesse abrir-lhe as portas de um mundo que não conhecia.

Ficou a observar a agilidade e a rapidez com que ele concluía o seu trabalho – pelos vistos era uma tela muito grande, mas estava completamente dobrada, e ela não podia ver os outros rostos ali retratados. E se agora tivesse uma nova oportunidade? O homem (resolvera que era "homem", e não "rapaz", porque senão iria começar a sentir-se demasiado velha para a sua idade) não parecia do tipo que fizesse aquela proposta apenas para passar uma noite com ela. Cinco minutos depois, conforme prometera, tinha terminado o seu trabalho, enquanto Maria se concentrava no Brasil, no seu futuro brilhante, e na absoluta falta de interesse que tinha em conhecer pessoas novas que pudessem pôr todos estes seus planos em risco.

– Obrigado, já pode mudar de posição – disse o pintor para o químico, que pareceu acordar de um sonho.

E, virando-se para Maria, disse sem mais rodeios:

– Vá para aquele canto, e fique à vontade. A luz está óptima.

Como se tudo já estivesse combinado pelo destino, como se fosse a coisa mais natural do mundo, como se sempre tivesse conhecido aquele homem, ou tivesse vivido aquele momento em sonhos e agora soubesse o que fazer na vida real, Maria pegou no seu copo de anis, na carteira, nos livros sobre administração de fazendas, e dirigiu-se para o lugar indicado pelo homem – uma mesa perto da janela. Ele trouxe os pincéis, a tela grande, uma série de pequenos frascos cheios de tinta de várias cores, um maço de cigarros, e ajoelhou-se aos seus pés.

– Fique sempre na mesma posição.

– É pedir muito; a minha vida está sempre em movimento.

Era uma frase que considerava brilhante, mas o homem não lhe prestou atenção. Procurando manter a naturalidade, porque o olhar dele a deixava muito pouco à vontade, apontou para o lado de fora da janela, onde se via a rua e a placa:

– O que é "Caminho de Santiago"?

– Uma rota de peregrinação. Na Idade Média, gente de toda a Europa passava por esta rua em direcção a uma cidade em Espanha, Santiago de Compostela.

Ele dobrou uma parte da tela, e preparou os pincéis. Maria continuava sem saber bem o que fazer.

– Quer dizer que, se eu seguir esta rua, chego a Espanha?

– Dois ou três meses depois. Mas posso pedir-lhe um favor? Fique em silêncio; isto não demora mais do que dez minutos. E tire o pacote de cima da mesa.

– São livros – respondeu ela, com uma certa dose de irritação por causa do tom autoritário do pedido. Ele tinha de saber que estava diante de uma mulher culta, que gasta o seu tempo em bibliotecas, não em lojas. Mas ele mesmo pegou no pacote e colocou-o no chão, sem qualquer cerimónia.

Não tinha conseguido impressioná-lo. Aliás, não tinha a menor intenção de o impressionar, estava fora do seu horário de trabalho, guardaria a sedução para mais tarde, para homens que pagavam bem pelo seu esforço. Por que tentar relacionar-se com aquele pintor, que talvez nem tivesse dinheiro para a convidar para tomar um café? Um homem de 30 anos não deve usar cabelos compridos, fica ridículo. Por que achava que não tinha dinheiro? A rapariga do bar dissera-lhe que era uma pessoa conhecida – ou será que o químico é que era famoso? Olhou a maneira como estava vestido, mas não adiantava muito; a vida tinha-lhe ensinado que os homens vestidos displicentemente – que era o seu caso – pareciam sempre ter mais dinheiro do que os que usavam fato e gravata.

"O que faço a pensar neste homem? O que me interessa é o quadro."

Dez minutos não era um preço muito alto a pagar pela oportunidade de se tornar imortal numa pintura. Viu que ele a pintava ao lado do tal químico premiado, e começou a perguntar-se se ele iria pedir algum tipo de pagamento no fim.

– Vire o rosto na direcção da janela.

Mais uma vez ela obedeceu, sem perguntar nada – o que não era em absoluto do seu feitio. Ficou a olhar as pessoas que passavam, a placa sobre o tal caminho, imaginando que aquela rua já estava ali há muitos séculos, uma rota que sobrevivera ao progresso, às mudanças do mundo, às próprias mudanças do homem. Talvez fosse um bom presságio, aquele quadro podia ter o mesmo destino, estar num museu daqui a quinhentos anos...

O homem começou a desenhar e, à medida que o trabalho progredia, ela perdeu a alegria inicial e começou a sentir-se insignificante. Quando entrara naquele bar, era uma mulher segura de si mesma, capaz de tomar uma decisão muito difícil – abandonar um trabalho que lhe dava dinheiro – para aceitar um desafio mais difícil ainda – dirigir uma fazenda na sua terra. Agora, parecia ter voltado a sensação de insegurança diante do mundo, coisa que uma prostituta nunca se pode dar ao luxo de sentir.

Acabou por descobrir a razão do seu desconforto: pela primeira vez em muitos meses, alguém não a olhava como um objecto, nem como uma mulher – mas como algo que não conseguia entender, embora a definição mais próxima fosse "Ele está a ver a minha alma, os meus medos, a minha fragilidade, a minha incapacidade de lutar contra um mundo que eu finjo dominar, mas do qual não sei nada".

Ridículo, continuava a delirar.

– Eu gostaria que...

– Por favor, não fale – disse o homem. – Estou a ver a sua luz.

Nunca ninguém lhe dissera aquilo. "Estou a ver os seus seios duros", "estou a ver as suas coxas bem torneadas", "estou a ver essa beleza exótica dos trópicos", ou, no máximo, "estou a ver que você quer sair desta vida, por que é que não me dá uma oportunidade e eu monto-lhe um apartamento". Estes eram os comentários que estava habituada a ouvir, mas... a sua luz? Será que ele se referia ao entardecer?

– A sua luz pessoal – completou ele, dando-se conta de que ela não percebera nada.

Luz pessoal. Bem, ninguém podia estar mais longe da realidade do que aquele inocente pintor, que mesmo com os seus possíveis trinta anos não tinha aprendido nada com a vida. Mas, como todos sabiam, as mulheres amadurecem muito mais rapidamente do que os homens, e Maria – embora não passasse noites em claro a pensar nos seus conflitos filosóficos – pelo menos uma coisa sabia: não possuía aquilo a que o pintor chamava "luz" e que ela interpretava como "um brilho especial". Era uma pessoa como todas as outras, sofria a sua solidão em silêncio, tentava justificar tudo o que fazia, fingia ser forte quando estava muito fraca, fingia ser fraca quando se sentia forte, renunciara a qualquer paixão em nome de um trabalho perigoso, mas agora, já perto do fim, tinha planos para o futuro e arrependimentos do passado – e uma pessoa assim não tem nada de "brilho especial". Aquilo devia ser apenas uma maneira de a manter calada e feliz por estar ali, imóvel, fazendo o papel de idiota.

"Luz pessoal. Podia ter escolhido outra coisa, como 'o seu perfil é lindo'."

Como entra a luz numa casa? Se as janelas estiverem abertas. Como entra a luz numa pessoa? Se a porta do amor estiver aberta. E, definitivamente, a sua não estava. Devia ser um péssimo pintor, não compreendia nada.

– Acabei – disse ele, e começou a reunir o seu material.

Maria não se mexeu. Tinha vontade de pedir para ver o quadro, mas ao mesmo tempo tal podia significar uma falta de educação, não confiar no que o outro tinha feito. A curiosidade, porém, falou mais alto, ela pediu, ele concordou.

Desenhara apenas o seu rosto; parecia-se com ela, mas se algum dia tivesse visto aquele quadro sem conhecer a modelo, diria que era uma pessoa muito mais forte, cheia de uma "luz" que ela não conseguia ver reflectida no espelho.

– O meu nome é Ralf Hart. Se quiser, posso pagar-lhe outro *drink*.

– Não, obrigada.

Pelos vistos, o encontro agora caminhava da forma tristemente prevista: o homem tenta seduzir a mulher.

– Por favor, mais dois *drinks* de anis – pediu, sem ligar ao comentário de Maria.

O que tinha para fazer? Ler um livro aborrecido sobre administração de fazendas. Andar, como já fizera centenas de vezes, pela margem do lago. Ou conversar com alguém que vira nela uma luz que desconhecia, justamente na data marcada no calendário para o início do fim da sua "experiência".

– O que é que faz?

Esta era a pergunta que não queria ouvir, que a fizera evitar muitos encontros quando, por uma razão ou por outra, alguém se aproximava dela (o que raramente acontecia na Suíça, dada a natureza discreta dos seus habitantes). Qual seria a resposta possível?

– Trabalho numa *boîte*.

Pronto. Um enorme peso saiu de cima de si – e ficou contente por tudo o que aprendera desde que chegara à Suíça; perguntar (o que são os curdos; o que é o caminho de Santiago) e responder (trabalho numa *boîte*) sem se importar com o que os outros pensam.

– Acho que já a vi.

Maria sentiu que ele queria ir mais longe, e saboreou a sua pequena vitória; o pintor, que minutos atrás lhe dava ordens e parecia absolutamente seguro do que queria, agora voltava a ser um homem como todos os outros, inseguro diante de uma mulher que não conhece.

– E esses livros?

Ela mostrou-os. Administração de fazendas. O homem pareceu ficar mais inseguro ainda.

– Trabalha com sexo?

Ele tinha arriscado. Será que ela se vestia como uma prostituta? De qualquer maneira, precisava de ganhar tempo. Examinava-se a si mesma, aquilo começava a ser um jogo interessante, não tinha absolutamente nada a perder.

– Por que é que os homens só pensam nisso?

Ele voltou a colocar os livros na carteira dela.

– Sexo e administração de fazendas. Duas coisas muito aborrecidas.

O quê? De repente, ela sentia-se desafiada. Como podia falar tão mal da sua profissão? Bem, ele ainda não sabia em que é que ela trabalhava, estava apenas a arriscar um palpite, mas não podia deixá-lo sem resposta.

– Pois eu penso que não há nada mais aborrecido do que a pintura; uma coisa parada, um movimento que foi interrompido, uma fotografia que nunca é fiel ao original. Uma coisa morta, pela qual ninguém se interessa, a não ser os pintores – gente que se julga importante, culta, e que não evoluiu como o resto do mundo. Já ouviu falar de Joan Miró? Eu nunca ouvi, a não ser um árabe num restaurante, e isso não mudou absolutamente nada a minha vida.

Não sabia se tinha ido longe de mais – porque os *drinks* chegaram, e a conversa foi interrompida. Ficaram sem dizer palavra durante algum tempo. Maria pensou que já estava na hora de ir, e talvez Ralf Hart tenha pensado a mesma coisa. Mas ainda ali estavam dois copos cheios daquela bebida horrorosa, e isso era um pretexto para continuarem juntos.

– Porquê, o livro da fazenda?

– O que quer dizer?

– Já estive na Rue de Berne. Depois de me dizer onde trabalhava, lembrei-me de que já a vi: naquela *boîte* cara. No entanto, enquanto a pintava, não me dei conta: a sua "luz" era muito forte.

Maria sentiu que o chão fugia sob os seus pés. Pela primeira vez sentiu vergonha do que fazia, embora não tivesse a menor razão para isso, trabalhava para se sustentar a si mesma e à sua família. Ele é que devia sentir vergonha por ir à Rue de Berne; de um momento para o outro, todo aquele possível encanto tinha desaparecido.

– Escute, senhor Hart, embora eu seja brasileira, moro há algum tempo na Suíça. E aprendi que os suíços são discretos porque vivem num país muito pequeno, quase todos se conhecem, como acabámos de ver, razão pela qual ninguém pergunta pela vida do outro. O seu comentário foi impróprio e muito indelicado – mas, se o seu objectivo foi humilhar-me para se sentir mais à vontade, perdeu o seu tempo. Obrigada pelo licor de anis, que é horroroso, mas que vou beber até ao fim. E vou fumar um cigarro, depois. E finalmente, vou levantar-me e ir-me-ei embora. Mas o senhor pode sair neste momento, já que não é bom para os pintores famosos sentarem-se na mesma mesa de uma prostituta. Porque é isso que sou, sabe? Uma prostituta. Sem qualquer culpa, dos pés à cabeça, de alto a baixo – uma prostituta. E essa é a minha virtude: não me enganar nem a mim, nem ao senhor. Porque não vale a pena, o senhor não merece uma mentira. Imagine se o químico famoso, ali no outro lado do restaurante, descobre quem sou?

Ela começou a levantar a voz.

– Uma prostituta! E sabe o que mais? Isso deixa-me livre – saber que me vou embora desta maldita terra daqui a exactamente noventa dias, cheia de dinheiro, muito mais culta, capaz de escolher um bom vinho, com a carteira recheada de fotos que tirei na neve, e entendendo a natureza dos homens!

A rapariga do bar ouvia, assustada. O químico parecia não prestar atenção. Mas talvez fosse o álcool, talvez a sensação de que em breve seria de novo uma mulher do interior, talvez a grande alegria de poder dizer em que trabalhava, e rir das reacções chocadas, dos olhares de crítica, dos gestos de escândalo.

– Entendeu bem, senhor Hart? De alto a baixo, dos pés à cabeça, sou uma prostituta – e essa é a minha qualidade, a minha virtude!

Ele não disse nada. E não se mexeu. Maria sentiu a sua confiança voltar.

– E o senhor é um pintor que não compreende os seus modelos. Talvez o químico que está sentado ali, distraído, a dormir, seja na verdade um ferroviário. E todas as outras pessoas no seu quadro sejam sempre aquilo que não são. Se não fosse assim, jamais diria que podia ver uma "luz especial" numa mulher que, como descobriu durante a pintura, NÃO PASSA DE UMA PROS-TI-TU-TA!

As palavras finais foram pronunciadas lentamente, em voz alta. O químico acordou, e a rapariga do bar trouxe a conta.

– Não tem nada a ver com a prostituta, mas com a mulher que você é – Ralf ignorou a conta, e respondeu também pausadamente, mas em voz baixa. – Tem um brilho. A luz que vem da força de vontade de alguém que sacrifica coisas importantes em nome de outras coisas que julga mais importantes ainda. Os olhos – essa luz manifesta-se nos olhos.

Maria sentiu-se desarmada; ele não aceitara a sua provocação. Quis acreditar que desejava seduzi-la, nada mais. Estava proibida de pensar – pelo menos nos próximos noventa dias – que existem homens interessantes à face da terra.

– Vê este licor de anis diante de si? – continuou ele. – Pois você vê apenas um licor de anis. Eu, porém, como preciso de entrar dentro do que faço, vejo a planta de onde nasceu, as tempestades que esta planta enfrentou, a mão que colheu os grãos, a viagem de navio de um outro continente até aqui, os cheiros e as cores que esta planta, antes de ser colocada no álcool, deixou que a tocassem e que fizessem parte dela. Se algum dia eu pintasse esta cena, pintaria isso tudo – embora, ao ver o quadro, você acreditasse que estava diante de um simples copo de licor de anis.

»Da mesma maneira, enquanto você olhava a rua e pensava – porque sei que pensava – no caminho de Santiago, eu pintei a sua infância, a sua adolescência, os seus sonhos desfeitos no passado, os seus sonhos no futuro, a sua vontade – que é o que mais me intriga. Quando você se viu no quadro...

Maria abriu a guarda, sabendo que seria muito difícil fechá-la dali para a frente.

– Eu vi essa luz... embora ali estivesse apenas uma mulher parecida consigo.

De novo veio o silêncio constrangedor. Maria olhou para o relógio.

– Tenho de ir dentro de poucos minutos. Por que disse que o sexo é aborrecido?

– Deve saber melhor do que eu.

– Eu sei porque trabalho nisso. Faço a mesma coisa todos os dias. Mas você é um homem de trinta anos...

– Vinte e nove...

– ... jovem, atraente, famoso, que devia ainda estar interessado nessas coisas, e não precisava de ir à Rue de Berne para arranjar companhia.

– Precisava, sim. Fui para a cama com algumas das suas colegas, não porque tivesse problemas para arranjar companhia. O meu problema é comigo mesmo.

Maria sentiu uma ponta de ciúme, e ficou apavorada. Percebia agora que precisava realmente de ir.

– Era a minha última tentativa. Agora desisti – disse Ralf, começando a juntar o material espalhado pelo chão.

– Tem algum problema físico?

– Nenhum. Apenas desinteresse.

Não era possível.

– Pague a conta. Vamos andar. Na verdade, acho que muita gente sente a mesma coisa, e ninguém o diz – é bom conversar com alguém tão sincero.

Saíram pelo caminho de Santiago, era uma subida e uma descida que terminava no rio, que terminava no lago, que terminava nas montanhas, que terminava num remoto lugar de Espanha. Passaram por gente que voltava do almoço, mães com os seus carrinhos de bebé, turistas que tiravam fotografias do belo jacto de água no meio do lago, mulheres muçulmanas com a cabeça coberta por um lenço, rapazes e raparigas fazendo *jogging*, todos peregrinos em busca dessa cidade mitológica, Santiago de Compostela, que talvez nem existisse, talvez fosse uma lenda em que as pessoas precisam de acreditar para dar um sentido às suas vidas. No caminho percorrido por tanta gente, há tanto tempo, também ia aquele homem de cabelos compridos levando uma pesada pasta cheia de pincéis, tintas, telas, lápis, e a rapariga um pouco mais jovem, com uma carteira cheia de livros sobre administração de fazendas. A nenhum dos dois ocorreu perguntar porque faziam aquela peregrinação juntos, era a coisa mais normal do mundo, ele sabia tudo sobre ela, embora ela nada soubesse sobre ele.

E por causa disso, resolveu perguntar – agora perguntava tudo. No início, ele fez o género modesto, mas ela sabia como conseguir qualquer coisa de um homem, e ele acabou por contar que tinha sido casado duas vezes (recorde para 29 anos!), viajado muito, conhecido reis, actores famosos, festas inesquecíveis. Nascera em Genève, morara em Madrid, Amesterdão, Nova Iorque, e numa cidade no sul de França, chamada Tarbes, que não figurava em nenhum circuito turístico importante, mas que ele adorava por causa da proximidade das montanhas. O seu talento fora descoberto quando tinha 20 anos, quando um grande negociante de arte fora comer, por acaso, a um restaurante japonês na sua cidade natal – decorado com os seus trabalhos. Ganhara muito dinheiro, era jovem e saudável, podia fazer qualquer coisa, ir para qualquer lugar, encontrar-se com quem desejasse, já vivera todos os prazeres que um homem pode viver, fazia o que queria, e, no entanto, apesar de tudo aquilo, fama, dinheiro, mulheres, viagens, era um homem infeliz, que tinha apenas uma alegria na vida: o trabalho.

– As mulheres fizeram-no sofrer? – perguntou ela, dando-se imediatamente conta de que era uma pergunta idiota, provavelmente escrita num manual sobre *"Todas as coisas que as mulheres devem saber para conquistar um homem"*.

— Nunca me fizeram sofrer. Fui muito feliz em cada um dos meus casamentos. Fui traído e traí como qualquer casal normal. Porém, passado algum tempo, o sexo já não me interessava. Continuava a amar, a sentir falta de companhia, mas o sexo — por que estamos a falar de sexo?

— Porque, como você mesmo disse, eu sou uma prostituta.

— A minha vida não tem grande interesse. Um artista que conseguiu fazer sucesso ainda jovem, o que é raro, e em pintura — o que é raríssimo. Que hoje em dia pode pintar qualquer tipo de quadro, que valerá bastante dinheiro — embora os críticos fiquem furiosos, acham que só eles sabem o que é "arte". Uma pessoa que todos acham ter resposta para tudo, e quanto mais calado fico, mais inteligente me consideram.

Ele continuou a contar a sua vida: todas as semanas era convidado para alguma coisa, em algum lugar do mundo. Tinha uma agente que vivia em Barcelona — sabia onde era? Sim, Maria sabia, era em Espanha. A tal agente ocupava-se de tudo o que era dinheiro, convites, exposições, mas nunca o pressionava para fazer qualquer coisa que ele não quisesse, já que, depois de muitos anos de trabalho, tinham conseguido uma certa estabilidade no mercado.

— É uma história interessante? — A sua voz denotava um pouco de insegurança.

— Eu diria que é uma história muito diferente. Muita gente gostaria de estar na sua pele.

Ralf quis saber mais sobre Maria.

— Eu sou três, dependendo da pessoa que me procura. A Menina Ingénua, que olha o homem com admiração, e finge estar impressionada pelas suas histórias de poder e de glória. A Mulher Fatal, que ataca imediatamente aqueles que se sentem mais inseguros, e ao agir assim – tomando o controlo da situação –, os deixa mais à vontade, porque eles não precisam de se preocupar com mais nada. E, finalmente, a Mãe Amorosa, que cuida dos que precisam de conselhos e ouve, com ar de quem compreende tudo, histórias que entram por um ouvido e saem pelo outro. Qual das três quer conhecer?

– Você.

Maria contou tudo, porque precisava de contar – era a primeira vez que o fazia desde que saíra do Brasil. No fim, descobriu que, mesmo com o seu emprego não muito convencional, nada acontecera de muito emocionante além da semana no Rio e do primeiro mês na Suíça. Era casa, trabalho, trabalho, casa – e nada mais.

Quando terminou, estavam de novo sentados num bar – desta vez do outro lado da cidade, longe do caminho de Santiago, cada qual pensando no que o destino havia reservado para o outro.

– Falta alguma coisa? – perguntou ela.

– Como dizer "até logo".

Sim. Porque não tinha sido uma tarde como todas as outras. Ela sentia-se angustiada, tensa, por ter aberto uma porta e não saber como a fechar.

– Quando poderei ver a tela?

Ralf estendeu-lhe o cartão da sua agente em Barcelona.

– Telefone-lhe daqui a seis meses, se ainda estiver na Europa. *As Faces de Genève*, gente famosa e gente anónima, será exposta pela primeira vez numa galeria em Berlim. Depois irá fazer um *tour* pela Europa.

Maria lembrou-se do calendário, dos noventa dias que faltavam, de tudo o que qualquer relação, qualquer laço, podia significar de perigoso.

"O que é mais importante nesta vida? Viver ou fingir que vivi? Arriscar agora, dizer que foi a tarde mais bela que passei nesta cidade? Agradecer porque ele me ouviu sem críticas e sem comentários? Ou simplesmente vestir a couraça da mulher com força de vontade, com 'luz especial', e partir sem qualquer comentário?"

Enquanto andavam pelo caminho de Santiago, e à medida que se ouvia a si mesma contando a sua vida, ela fora uma mulher feliz. Podia contentar-se com isso – já era um grande presente da vida.

– Vou procurá-la – disse Ralf Hart.

– Não faça isso. Viajo em breve para o Brasil. Não temos mais nada a dizer um ao outro.

– Vou procurá-la como cliente.

– Isso será uma humilhação para mim.

– Vou procurá-la para que me salve.

Ele fizera aquele comentário no início, sobre o desinteresse por sexo. Quis dizer que sentia a mesma coisa, mas controlou-se – tinha ido longe de mais nas suas negativas, era mais inteligente ficar calada.

Que coisa patética. Mais uma vez estava ali com um rapaz, que desta vez não lhe pedia um lápis, mas um pouco de companhia. Olhou para o seu passado e, pela primeira vez, perdoou a si mesma: a culpa não fora dela, mas do menino inseguro que tinha desistido à primeira tentativa. Eram crianças, e as crianças agem assim – nem ela nem o menino estavam errados, e isso deu-lhe um grande alívio, sentiu-se melhor, não traíra a sua primeira oportunidade na vida. Todos o fazem, é parte da iniciação do ser humano em busca da sua outra parte, coisas assim acontecem.

No entanto, agora a situação era diferente. Por melhores que fossem as razões (vou para o Brasil, trabalho numa *boîte*, não tivemos tempo de nos conhecer bem, não estou interessada em sexo, não quero saber de amor, devo aprender a administrar fazendas, não percebo nada de pintura, vivemos em mundos diferentes), a vida colocava-lhe um desafio. Já não era uma criança, tinha de escolher.

Preferiu não dizer nada. Apertou-lhe a mão, como era costume naquela terra, e partiu em direcção à sua casa. Se ele fosse mesmo o homem que gostaria que fosse, não se deixaria intimidar pelo seu silêncio.

Trecho do Diário de Maria, escrito
naquele mesmo dia:

Hoje, enquanto andávamos à volta do lago, por este estranho caminho de Santiago, o homem que estava comigo – um pintor, uma vida diferente da minha – lançou uma pedrinha à água. No lugar onde a pedra caiu, apareceram pequenos círculos que se foram expandindo, expandindo, até atingirem um pato que passava por ali casualmente, e nada tinha a ver com a pedra. Em vez de ficar assustado com a onda inesperada, ele resolveu brincar com ela.

Algumas horas antes desta cena, eu entrei num café, ouvi uma voz, e foi como se Deus tivesse atirado uma pedrinha para aquele lugar. As ondas de energia tocaram-me, a mim e a um homem que estava num canto, a pintar um quadro. Ele sentiu a vibração da pedra, eu também. E agora?

O pintor sabe quando encontra um modelo. O músico sabe quando o seu instrumento está afinado. Aqui, neste meu diário, eu tenho consciência de que certas frases não são escritas por mim, mas por uma mulher cheia de "luz", que sou e me recuso a aceitar.

Posso continuar assim. Mas posso também, como o patinho no lago, divertir-me e alegrar-me com a maré que chegou de repente e desequilibrou a água.

Existe um nome para esta pedra: paixão. Ela pode descrever a beleza de um encontro fulminante entre duas pessoas, mas não se limita a isso. Está na excitação do inesperado, na vontade de fazer alguma coisa com fervor, na certeza de que se vai conseguir realizar um sonho. A paixão dá-nos sinais que guiam a nossa vida – e cabe-me a mim saber decifrar esses sinais.

Gostaria de acreditar que estou apaixonada. Por alguém que não conheço, e isso não estava nos meus planos. Todos estes meses de autocontrolo, de recusa do amor, resultaram exactamente no oposto: deixar--me levar pela primeira pessoa que me deu uma atenção diferente.

Ainda bem que não fiquei com o seu número de telefone, que não sei onde mora, que posso perdê-lo sem me culpar a mim mesma de ter perdido a oportunidade.

E se for esse o caso, mesmo que já o tenha perdido, ganhei um dia feliz na minha vida. Considerando o mundo como ele é, um dia feliz é quase um milagre.

Quando entrou no "Copacabana" naquela noite, ele estava lá, à sua espera. Era o único freguês. Milan, que acompanhava a vida daquela brasileira com uma certa curiosidade, viu que a rapariga tinha perdido a batalha.

– Aceita um *drink*?

– Preciso de trabalhar. Não posso perder o meu emprego.

– Sou um cliente. Estou a fazer-lhe uma proposta profissional.

Aquele homem, que no café durante a tarde parecia tão seguro de si mesmo, que manejava bem o pincel, que conhecia grandes personalidades, tinha uma agente em Barcelona, e devia ganhar muito dinheiro – mostrava agora a sua fragilidade, entrara no ambiente que não devia, já não estava num café romântico no caminho de Santiago. O encanto da tarde desapareceu.

– Então, aceita o *drink*?

– Aceito noutra altura. Hoje já tenho clientes que me esperam.

Milan ouviu o fim da frase; estava enganado, a rapariga não se deixara levar pela armadilha das promessas de amor. Mesmo assim, no fim de uma noite sem muito movimento, perguntou-se porque tinha ela preferido a companhia de um velho, de um contabilista medíocre, e de um agente de seguros.

Bem, o problema era dela. Desde que pagasse a sua comissão, não lhe cabia a ele decidir com quem ela devia ou não ir para a cama.

*Do Diário de Maria, após a noite
com o velho, o contabilista
e o agente de seguros:*

*O que quer este pintor de mim? Não sabe que somos
de países, culturas, sexos diferentes? Pensa que sei mais
sobre o prazer do que ele, e quer aprender algo?*

*Por que não me disse nada além de "Sou um cliente"?
Era tão fácil dizer: "Senti a sua falta" ou "Adorei a tarde
que passámos juntos". Eu responderia da mesma maneira
(sou uma profissional), mas ele tem obrigação de entender
as minhas inseguranças, porque sou mulher, sou frágil, e
naquele lugar sou uma outra pessoa.*

*Ele é um homem. E um artista: tem a obrigação
de saber que o grande objectivo do ser humano é
compreender o amor total. O amor não está no outro,
está dentro de nós mesmos; nós despertamo-lo. Mas
para este despertar precisamos do outro. O Universo
só faz sentido quando temos alguém com quem partilhar as nossas emoções.*

*Ele está cansado de sexo? Eu também – e, no en-
tanto, nem ele nem eu sabemos o que isso é. Estamos a
deixar morrer uma das coisas mais importantes da vida
– precisava de ser salva por ele, precisava de o salvar,
mas ele não me deixou qualquer escolha.*

Estava apavorada. Começava a perceber que, depois de tanto autocontrolo, a pressão, o terramoto, o vulcão da sua alma dava sinais de explodir, e, a partir do momento em que isso acontecesse, já não conseguiria controlar os seus sentimentos. Quem era aquele artista rasca, que podia muito bem estar a mentir a respeito da sua vida, com quem passara não mais que algumas horas, que não lhe tocara, que não tentara seduzi-la – podia haver algo pior que isso?

Por que dava o seu coração sinal de alarme? Porque achava que ele sentia a mesma coisa – mas, claro, estava muito enganada. Ralf Hart queria encontrar-se com a mulher capaz de despertar o fogo que estava quase a apagar-se; queria transformá-la na sua grande deusa do sexo, com uma "luz especial"(e nisso ele fora sincero), pronta a agarrar nas suas mãos e a mostrar-lhe o caminho de volta à vida. Não podia imaginar que Maria sentisse o mesmo desinteresse, que tivesse os seus problemas (mesmo depois de ter estado com tantos homens, não conseguira o orgasmo durante a penetração), que tivesse feito planos naquela manhã, e organizara um regresso triunfante à sua terra.

Por que pensava nele? Por que pensava em alguém que neste exacto momento podia estar a pintar outra mulher, dizendo que tinha uma "luz" especial, que podia ser a sua deusa do sexo?

"Penso nele porque pude conversar."

Que ridículo! Pensava também na bibliotecária? Não. Pensava em Nyah, a filipina, a única de entre todas as mulheres do "Copacabana" com quem podia partilhar um pouco dos seus sentimentos? Não, não pensava. E eram pessoas com quem estivera muitas vezes, e com quem se sentia à vontade.

Procurou desviar a sua atenção para o calor que sentia, ou para o supermercado onde não conseguira ir no dia anterior. Escreveu uma longa carta ao seu pai, cheia de pormenores sobre o terreno que gostaria de comprar – isso deixaria a sua família contente. Não marcou a data de regresso, mas deu a entender que seria em breve. Dormiu, acordou, dormiu de novo, voltou a acordar. Descobriu que o livro sobre fazendas era muito bom para os suíços, mas não servia para os brasileiros – os seus mundos eram completamente distintos.

Durante a tarde, sentiu que o terramoto, o vulcão, a pressão diminuíra. Ficou mais descansada; este tipo de paixão súbita já lhe tinha acontecido outras vezes, e acabava sempre no dia seguinte – que bom, o seu universo continuava o mesmo. Tinha uma família que a amava, um homem que a esperava, e que agora lhe escrevia com muita frequência, contando que a loja de tecidos estava a crescer. Mesmo que resolvesse apanhar o avião naquela noite, tinha dinheiro suficiente para pelo menos comprar uma quinta. Ultrapassara a pior parte, a barreira da língua, a solidão, o primeiro dia no restaurante com o árabe, a maneira como convencera a sua alma a não protestar pelo que fazia ao seu corpo. Sabia muito bem qual era o seu sonho, e estava disposta a tudo por ele. E, por sinal, esse sonho não incluía homens. Pelo menos, não incluía homens que não falassem a sua língua materna, e que não vivessem na sua cidade.

Quando o terramoto acalmou, Maria percebeu que parte da culpa era sua. Por que não dissera, naquele momento: "Eu estou sozinha, sou tão miserável quanto você, ontem você viu a minha "luz", e foi a primeira coisa bonita e sincera que um homem me disse desde que cheguei aqui?"

No rádio tocava uma velha canção: "Os meus amores morrem antes mesmo de nascer". Sim, era esse o seu caso, o seu destino.

*Trecho do Diário de Maria, dois dias
depois de tudo ter voltado ao normal:*

A paixão faz a pessoa deixar de comer, dormir, trabalhar, estar em paz. Muita gente fica assustada porque, quando aparece, derruba todas as coisas velhas que encontra.

Ninguém quer desorganizar o seu mundo. Por isso, muita gente consegue controlar essa ameaça, e é capaz de manter de pé uma casa ou uma estrutura que já está podre. São os engenheiros das coisas superadas.

Outras pessoas pensam exactamente o contrário: entregam-se sem pensar, esperando encontrar na paixão as soluções para todos os seus problemas. Depositam na outra pessoa toda a responsabilidade pela sua felicidade, e toda a culpa pela sua possível infelicidade. Estão sempre eufóricas porque algo de maravilhoso aconteceu, ou deprimidas porque algo que não esperavam acabou por destruir tudo.

Afastar-se da paixão, ou entregar-se cegamente a ela – qual destas duas atitudes é a menos destrutiva? Não sei.

No terceiro dia, como se ressuscitasse dos mortos, Ralf Hart voltou – e quase chegava tarde, porque Maria já conversava com outro freguês. Quando o viu, porém, ela disse educadamente ao outro que não queria dançar, esperava alguém.

Só então se deu conta de que o tinha esperado todos aqueles dias. E nesse momento aceitou tudo o que o destino colocara no seu caminho.

Não protestou contra si mesma; ficou contente, podia dar-se a esse luxo, porque um dia iria partir daquela cidade, sabia que esse amor era impossível, e portanto – já que não esperava nada – teria tudo o que ainda esperava daquela etapa da sua vida.

Ralf perguntou se ela queria um *drink*, e Maria pediu um *cocktail* de fruta. O dono do bar, fingindo que lavava copos, olhou para a brasileira sem perceber nada: o que a teria feito mudar de ideias? Esperava que não ficasse ali apenas tomando a bebida – e ficou aliviado quando ele a convidou para dançar. Cumpriam o ritual, não havia motivo para preocupações.

Maria sentia a mão em volta da sua cintura, o rosto colado, o som muito alto que – graças a Deus – impedia qualquer conversa. Um *cocktail* de fruta não bastava para tomar coragem, e as poucas palavras que tinham trocado foram muito formais. Agora era uma questão de tempo: iriam para um hotel? Fariam amor? Não devia ser difícil, já que ele não se interessava por sexo, agora tratava-se apenas de cumprir o seu compromisso profissional. Isso ajudaria a matar qualquer vestígio de uma possível paixão – não sabia porque se tinha torturado tanto depois do primeiro encontro.

Esta noite seria a Mãe Compreensiva. Ralf Hart era apenas um homem desesperado, como milhões de outros. Se desempenhasse bem o seu papel, se conseguisse seguir o roteiro que tinha estabelecido para si mesma desde que começara a trabalhar no "Copacabana", não tinha com que se preocupar. Era muito arriscado ter aquele homem por perto. Agora que sentia o seu cheiro – e gostava –, experimentava o seu toque – e gostava –, descobrira-se esperando por ele – e não gostava.

Em quarenta e cinco minutos já tinham cumprido todas as regras, e o homem dirigira-se ao dono da *boîte*:

"Vou levá-la para o resto da noite. Pagarei como se fosse três clientes."

O dono encolheu os ombros, e pensou de novo que a rapariga brasileira ia acabar por cair na armadilha do amor. Maria, por seu lado, ficou surpreendida: não sabia que Ralf Hart conhecia tão bem as regras.

– Vamos até minha casa.

Talvez essa fosse mesmo a melhor decisão, pensou ela. Embora fosse contra todas as recomendações de Milan, neste caso resolveu abrir uma excepção. Além de descobrir de uma vez por todas se era ou não casado, conheceria a maneira de viver dos pintores famosos, e um dia poderia escrever qualquer coisa para o jornal da sua pequena cidade – de modo que todos ficassem a saber que, durante o seu período na Europa, ela frequentara círculos intelectuais e artísticos.

"Que desculpa absurda", riu para si mesma.

Meia hora depois, chegaram a um pequeno vilarejo próximo de Genève, chamado Cologny; uma igreja, a padaria, a Câmara Municipal, tudo no seu lugar. E era realmente uma casa de dois andares, não um apartamento! Primeira avaliação: devia ter mesmo dinheiro. Segunda avaliação: se fosse casado, não ousaria fazer aquilo, porque havia sempre gente a ver.

Então, era rico e solteiro.

Entraram por um *hall* com uma escada que levava ao segundo andar, mas seguiram a direito até às duas salas na parte de trás, que davam para um jardim. Uma delas tinha uma mesa de jantar, e as paredes estavam cobertas de quadros. A outra sala tinha alguns sofás, cadeiras, estantes cheias de livros, cinzeiros sujos, copos que tinham sido usados há muito tempo, e que ainda permaneciam ali.

– Posso preparar um café.

Maria fez um sinal negativo com a cabeça. Não, não pode preparar um café. Ainda não pode tratar-me de forma diferente. Desafio os meus próprios demónios, faço exactamente tudo ao contrário do que prometi a mim mesma. Mas vamos com calma; hoje farei o papel de prostituta, ou de amiga, ou de Mãe Compreensiva, embora na minha alma eu seja uma Filha que precisa de carinho.

Finalmente, quando tudo estiver terminado, podes preparar-me um café.

– No fundo do jardim está o meu estúdio, a minha alma. Aqui, entre todos estes quadros e livros, está o meu cérebro, o que penso.

Maria pensou na sua própria casa. Não tinha um jardim nos fundos. Nem livros, apenas os que levava da biblioteca – já que não havia necessidade de gastar dinheiro com o que podia ter de graça. Tão-pouco havia quadros – apenas um *poster* do Circo Acrobático de Xangai, que ela sonhava ver.

Ralf pegou numa garrafa de uísque e ofereceu.

– Não, obrigada.

Ele serviu-se de uma dose, e bebeu tudo – sem gelo, sem tempo. Começou a dizer coisas inteligentes, e por mais que a conversa lhe interessasse, ela sabia que aquele homem estava com medo do que ia acontecer, agora que estavam sozinhos. Maria recuperava o controlo da situação.

Ralf serviu-se outra dose, e como se dissesse alguma coisa sem importância, comentou:

– Preciso de ti.

Uma pausa. Um silêncio demorado. Não ajudes a quebrar esse silêncio, vamos ver como ele continua.

– Preciso de ti, Maria. Tu tens luz, embora pense que ainda não acreditas em mim, que estou apenas a tentar seduzir-te com esta conversa. Não me perguntes: "Porquê eu? O que tenho de especial?" Não tens nada de especial, nada que eu possa explicar a mim mesmo. No entanto – eis o mistério da vida – não consigo pensar noutra coisa.

– Não te ia perguntar isso – mentiu.

– Se eu procurasse uma explicação, diria: a mulher que está diante de mim conseguiu superar o sofrimento e transformá-lo em algo positivo, criativo. Mas isso não basta para explicar tudo.

Tornava-se difícil escapar. Ele continuou:

– E eu? Com muita minha criatividade, com os meus quadros que são disputados e desejados por galerias de todo o mundo, com o meu sonho realizado, com a minha aldeia sabendo que sou um filho querido, com as minhas mulheres que não me pedem pensão ou coisas assim, com saúde, boa aparência, tudo o que um homem pode sonhar, e eu? Aqui estou, dizendo a uma mulher que encontrei num café, e com quem passei apenas uma tarde: "Preciso de ti". Sabes o que é a solidão?

– Sei o que é.

– Mas não sabes o que é solidão quando se tem a possibilidade de se estar com muita gente, quando se recebe todas as noites um convite para uma festa, um *cocktail*, uma estreia de teatro. Quando o telefone toca sempre, e são mulheres que adoram o teu trabalho, que dizem que gostariam muito de jantar contigo – são belas, inteligentes, educadas. E algo te empurra para longe e te diz: não vás. Não te vais divertir. Mais uma vez, tentarás impressioná-las a noite inteira, gastarás a tua energia a provar a ti mesmo como és capaz de seduzir o mundo.

»Então fico em casa, entro no meu estúdio, procuro a luz que vi em ti, e só consigo ver essa luz quando trabalho.

– O que é que te posso dar que já não tenhas? – respondeu ela, sentindo-se um pouco humilhada por aquele comentário sobre outras mulheres, mas lembrando-se que, afinal de contas, ele tinha pago para a ter ao seu lado.

Ele bebeu a terceira dose. Maria acompanhou-o mentalmente, o álcool a queimar-lhe a garganta e o estômago, a entrar na sua corrente sanguínea, e a enchê-lo de coragem, e ela começou a sentir-se também embriagada, embora não tivesse bebido uma só gota. A voz de Ralf Hart saiu mais firme.

– Está bem. Não posso comprar o teu amor, mas tu disseste que sabias tudo sobre sexo. Ensina-me, então. Ou ensina-me algo sobre o Brasil. Qualquer coisa, desde que possa estar ao teu lado.

E agora?

– Só conheço duas cidades do meu país: aquela onde nasci, e o Rio de Janeiro. Quanto ao sexo, não acredito que te possa ensinar alguma coisa. Eu tenho quase 23 anos, tu és apenas seis anos mais velho, mas sei que viveste muito mais intensamente. Eu conheço homens que me pagam para fazer o que eles querem, e não o que eu quero.

– Já fiz tudo o que um homem pode sonhar fazer com uma, duas, três mulheres ao mesmo tempo. E não sei se aprendi muito.

De novo o silêncio, só que era a vez de Maria falar. E ele não a ajudou – como ela não o ajudara anteriormente.

– Queres-me como uma profissional?

– Eu quero-te como tu quiseres.

Não, ele não podia ter respondido aquilo – porque era tudo o que ela desejava ouvir. De novo o terramoto, o vulcão, a tempestade. Ia ser impossível escapar da sua própria armadilha, ia perder este homem, sem nunca o ter verdadeiramente.

– Tu sabes, Maria. Ensina-me. Talvez isso me salve, te salve, nos traga de volta à vida. Tens razão, tenho apenas mais seis anos do que tu e, no entanto, já vivi o equivalente a muitas vidas. Passámos por experiências completamente distintas, mas ambos estamos desesperados. A única coisa que nos deixa em paz é estarmos juntos.

Por que dizia ele estas coisas? Não era possível, e mesmo assim era verdade. Tinham-se visto apenas uma vez, e já precisavam um do outro. Imagine-se se continuassem a encontrar-se, que desastre! Maria era uma mulher inteligente, com muitos meses de leitura e observação do género humano; tinha um propósito na vida, mas também tinha uma alma, que precisava de conhecer e descobrir a sua "luz."

Já estava cansada de ser quem era, e embora a viagem próxima para o Brasil fosse um desafio interessante, ainda não aprendera tudo o que podia. Ralf Hart era um homem que tinha aceite desafios, aprendera tudo, e agora pedia àquela rapariga, àquela prostituta, àquela Mãe Compreensiva, que o conduzisse para fora. Que absurdo!

Outros homens já se tinham comportado da mesma forma diante dela. Muitos não tinham conseguido ter uma erecção, outros queriam ser tratados como crianças, outros ainda diziam que gostariam de a ter como esposa, porque se excitavam ao saber que a mulher tivera muitos amantes. Embora ainda não tivesse conhecido nenhum dos "clientes especiais", já descobrira o gigantesco universo de fantasias que habitava a alma humana. Mas todos estavam habituados aos seus mundos, e nunca lhe tinham pedido "Leva-me embora daqui". Pelo contrário, queriam levar Maria com eles.

E mesmo que todos esses muitos homens a tivessem sempre deixado com algum dinheiro e sem qualquer energia, não era possível que ela não tivesse aprendido nada. No entanto, se algum deles realmente estivesse à procura do amor, e se o sexo fosse apenas uma parte dessa busca, como gostaria ela de ser tratada? O que seria importante acontecer no primeiro encontro?

O que desejaria realmente que acontecesse?

– Receber um presente – disse Maria.

Ralf Hart não compreendeu. Presente? Ele já lhe pagara adiantado pela noite, no táxi, porque conhecia o ritual. O que queria ela dizer com aquilo?

De repente, Maria dera-se conta de que compreendera, naquele minuto, o que uma mulher e um homem precisavam de sentir. Agarrou-o pelas mãos e conduziu-o a uma das salas.

– Não vamos subir para o quarto – disse.

Apagou quase todas as luzes, sentou-se no tapete e pediu que ele se sentasse diante dela. Reparou que havia uma lareira na sala.

– Acende a lareira.

– Mas estamos no Verão.

– Acende a lareira. Queres que eu conduza os nossos passos esta noite, e é o que estou a fazer.

Ela olhou-o com firmeza, esperando que ele visse de novo a sua "luz". Ele viu – porque foi ao jardim, pegou numas achas de madeira molhadas pela chuva, pôs alguns jornais velhos para fazer com que o fogo secasse as achas e as acendesse. Dirigiu-se à cozinha para ir buscar mais uísque, mas Maria fê-lo parar.

– Perguntaste-me o que é que eu queria?

– Não te perguntei.

– Pois fica a saber que a pessoa que está contigo tem de existir. Pensa nela. Pensa se ela deseja uísque, ou *gin*, ou café. Pergunta-lhe o que é que ela quer.

– O que queres beber?

– Vinho. E gostaria que me acompanhasses.

Ele deixou a garrafa de uísque, e voltou com uma de vinho. Por esta altura, o fogo já queimava as achas; Maria apagou as poucas luzes que tinham ficado acesas, deixando que apenas as chamas iluminassem o ambiente. Comportava-se como se sempre tivesse sabido que aquele era o primeiro passo: reconhecer o outro, saber que está ali.

Abriu a carteira, e achou lá dentro uma caneta que comprara num supermercado. Qualquer coisa servia.

– Isto é para ti. Quando a comprei, pensava em ter algo para anotar as ideias sobre administração de fazendas. Usei-a durante dois dias, trabalhei até ficar cansada. Ela tem um pouco do meu suor, da minha concentração, da minha vontade, e eu entrego-ta agora.

Depositou a caneta suavemente na sua mão.

– Em vez de te comprar uma coisa que gostasses de ter, dou-te uma coisa que é minha, realmente minha. Um presente. Um sinal de respeito pela pessoa diante de mim, pedindo que ela compreenda o quanto é importante estar ao seu lado. Agora ela tem consigo uma pequena parte de mim mesma, que lhe dei de livre e espontânea vontade.

Ralf levantou-se, dirigiu-se à estante e voltou com um objecto. Estendeu-o a Maria:

– Esta é uma carruagem de um comboio eléctrico que eu tinha quando era pequeno. Não tinha autorização para brincar com ele sozinho, porque o meu pai dizia que era caro, importado dos Estados Unidos. Então, restava-me esperar que ele tivesse vontade de montar o comboio no meio da sala – mas geralmente ele passava os domingos a ouvir ópera. Por isso, o comboio sobreviveu à minha infância, mas não me deu nenhuma alegria. Lá em cima, tenho guardados todos os carris, a locomotiva, as casas, até mesmo o manual; porque eu tinha um comboio que não era meu, com o qual eu não brincava.

»Oxalá tivesse sido destruído como todos os outros brinquedos que recebi e de que nem me lembro, porque esta paixão de destruir faz parte da forma como a criança descobre o mundo. Mas este comboio intacto lembra-me sempre uma parte da minha infância que eu não vivi, porque era preciosa de mais, ou trabalhosa de mais para o meu pai. Ou talvez porque, cada vez que montava o comboio, tivesse medo de demonstrar o seu amor por mim.

Maria começou a olhar fixamente o fogo na lareira. Algo estava a acontecer – e não era o vinho, nem o ambiente acolhedor. Era a entrega de presentes.

Ralf também se virou para o fogo. Ficaram calados, ouvindo o crepitar das chamas. Beberam vinho, como se não fosse importante dizer nada, falar nada, fazer nada. Apenas estar ali, um com o outro, olhando na mesma direcção.

– Tenho muitos comboios intactos na minha vida – disse Maria, passado algum tempo. – Um deles é o meu coração. Também só brincava com ele quando o mundo colocava os carris, e nem sempre era o momento certo.

– Mas tu amaste.

– Sim, eu amei. Eu amei muito. Eu amei tanto que, quando o meu amor me pediu um presente, tive medo e fugi.

– Não percebo.

– Não precisas. Estou a ensinar-te, porque descobri uma coisa que não sabia. A dádiva. A entrega de alguma coisa que é tua. Dar antes de pedir algo que seja importante. Tu tens o meu tesouro: a caneta com que escrevi alguns dos meus sonhos. Eu tenho o teu tesouro: a carruagem do comboio, parte da infância que tu não viveste.

»Eu agora levo comigo uma parte do teu passado, e tu guardas contigo um pouco do meu presente. Que bom.

Disse tudo isto sem pestanejar, sem se estranhar a si mesma, como se soubesse há muito tempo que esta era a melhor e a única maneira de agir. Levantou-se com suavidade, pegou no seu casaco, que estava pendurado no cabide, e deu-lhe um beijo no rosto. Ralf Hart, em nenhum momento, fez qualquer menção de se levantar de onde estava, hipnotizado pelo fogo, possivelmente pensando no pai.

– Nunca percebi porque guardava essa carruagem. Hoje tornou-se claro: para ta entregar numa noite de lareira acesa. Agora esta casa fica mais leve.

Ele disse que, no dia seguinte, iria doar o resto dos carris, locomotivas, pastilhas que imitavam fumo, a um orfanato.

– Talvez hoje esse comboio seja uma raridade que não se fabrica mais, e valha muito dinheiro – advertiu Maria, para logo se arrepender em seguida. Não se tratava disso, mas de se livrar de algo que é mais caro ao nosso coração.

Antes de voltar a dizer coisas que não combinavam com o momento, tornou a dar-lhe um beijo no rosto e dirigiu-se para a porta. Ele ainda contemplava o fogo, e ela pediu-lhe, delicadamente, que viesse abri-la.

Ralf levantou-se e ela explicou-lhe que, embora estivesse contente ao vê-lo olhar o fogo, os brasileiros têm uma estranha superstição: quando visitam alguém pela primeira vez, não podem abrir a porta quando saem, porque se o fizerem nunca mais voltarão àquela casa.

– E eu quero voltar.

– Embora não nos tivéssemos despido e eu não tenha entrado dentro de ti, nem sequer te tenha tocado, nós fizemos amor.

Ela riu. Ele ofereceu-se para a levar a casa, mas Maria recusou.

– Irei ver-te amanhã, ao "Copacabana".

– Não faças isso. Espera uma semana. Aprendi que esperar é a parte mais difícil, e quero também habituar-me a isso; saber que estás comigo, mesmo que não estejas ao meu lado.

Caminhou de novo pelo frio e pela escuridão da noite, como já tinha feito tantas vezes em Genève; normalmente, essas caminhadas estavam associadas a tristeza, solidão, vontade de voltar para o Brasil, saudades da língua que falava tão pouco, cálculos financeiros, horários.

Hoje, porém, caminhava para se encontrar a si mesma, encontrar aquela mulher que durante quarenta minutos esteve diante do fogo com um homem, e era cheia de luz, de sabedoria, de experiência, de encanto. Vira o rosto dessa mulher há algum tempo atrás, quando passeava pelo lago pensando se devia ou não dedicar-se a uma vida que não era a sua – naquela tarde, sorrira de um modo muito triste. Vira o seu rosto pela segunda vez numa tela dobrada, e agora sentia de novo a sua presença. Só apanhou um táxi passado muito tempo, ao ver que aquela presença mágica se fora embora e a deixara sozinha como sempre.

Era melhor então não pensar no assunto para não o estragar, para não deixar que a ansiedade substituísse tudo o que acabara de viver. Se aquela outra Maria existia mesmo, ela voltaria no momento certo.

*Trecho do Diário de Maria escrito na noite
em que recebeu a carruagem
do comboio:*

O desejo profundo, o desejo mais real é aquele de se aproximar de alguém. A partir daí, começam a ocorrer as reacções, o homem e a mulher entram em jogo, mas o que acontece antes – a atracção que os juntou – é impossível de explicar. É o desejo intocável, no seu estado puro.

Quando o desejo ainda está nesse estado puro, homem e mulher apaixonam-se pela vida, vivem cada momento com reverência, e conscientemente, sempre à espera do momento certo de celebrar a próxima bênção.

Pessoas assim não têm pressa, não precipitam os acontecimentos com acções inconscientes. Elas sabem que o inevitável se manifestará, que o verdadeiro encontra sempre uma forma de se mostrar. Quando chega o momento, elas não hesitam, não perdem uma oportunidade, não deixam passar nenhum momento mágico, porque respeitam a importância de cada segundo.

Nos dias que se seguiram, Maria descobriu-se novamente presa na armadilha que tanto evitara – mas não estava triste nem preocupada com isso. Pelo contrário: já que não tinha mais nada a perder, era livre.

Sabia que – por mais romântica que fosse a situação – um dia Ralf Hart compreenderia que ela não passava de uma prostituta, enquanto ele era um artista respeitado. Que ela morava num país distante, sempre em crise, enquanto ele vivia no paraíso, com a vida organizada e protegida desde o nascimento. Ele fora educado frequentando os melhores colégios e museus do mundo, enquanto ela mal terminara o secundário. Enfim, sonhos como este não duram muito, e Maria já vivera o bastante para perceber que a realidade não gostava de se combinar com os seus sonhos. Esta era agora a sua grande alegria: dizer à realidade que não precisava dela, não dependia das coisas que aconteciam para ser feliz.

"Como sou romântica, meu Deus."

Durante a semana, tentou descobrir algo que pudesse fazer Ralf Hart feliz; ele tinha-lhe devolvido uma dignidade e uma "luz" que ela julgava perdida para sempre. Mas a única forma que tinha de retribuir era através do que ele julgava ser a especialidade de Maria: sexo. Como as coisas não variavam muito na rotina do "Copacabana", ela resolveu procurar outras fontes.

Viu alguns filmes pornográficos, e de novo não encontrou nada de interessante – excepto, talvez, em algumas variações quanto ao número de parceiros. Como os filmes não ajudavam muito, pela primeira vez desde que chegara a Genève decidiu comprar livros – embora ainda achasse que era muito mais prático não precisar de ocupar o espaço da sua casa com algo que, uma vez lido, não tinha mais utilidade. Dirigiu-se a uma livraria que vira quando andava com Ralf pelo caminho de Santiago, e procurou saber se tinham alguma coisa sobre o tema.

– Muita, muita coisa – respondeu a rapariga encarregada das vendas. – Na verdade, parece que as pessoas só se preocupam com isso. Além de uma secção especial, também em todos os romances que vê à sua volta existe pelo menos uma cena de sexo. Mesmo que esteja escondido em lindas histórias de amor, ou em tratados sérios sobre o comportamento do ser humano, o facto é que as pessoas só pensam nisso.

Maria, com toda a sua experiência, sabia que a rapariga estava enganada: as pessoas pensavam nisso, porque achavam que o mundo inteiro só se preocupava com sexo. Faziam dietas, usavam perucas, ficavam horas no cabeleireiro ou nos ginásios, vestiam roupa insinuante, tentavam provocar a centelha desejada – e daí? Quando chegava a altura de ir para a cama, onze minutos e pronto. Nenhuma criatividade, nada que levasse ao paraíso; em pouco tempo, a centelha já não tinha força para manter o fogo aceso.

Mas era inútil discutir com a rapariga loura, que julgava que o mundo pode ser explicado nos livros. Perguntou novamente onde estava a secção especial, e ali encontrou vários títulos sobre *gays*, lésbicas, freiras que revelavam coisas escabrosas sobre a Igreja, livros ilustrados com técnicas orientais, mostrando posições muito desconfortáveis. Apenas um dos volumes a interessou: *O Sexo Sagrado*. Pelo menos devia ser diferente.

Comprou-o, foi para casa, sintonizou o rádio numa estação que a ajudava a pensar (porque a música era calma), abriu o livro, reparou que tinha várias ilustrações, com posturas que só mesmo quem trabalha no circo pode conseguir praticar. O texto era aborrecido.

Maria aprendera o suficiente na sua profissão para saber que nem tudo na vida era uma questão da posição quando se fazia amor, e na maior parte das vezes qualquer variação acontece de maneira natural, sem pensar, como os passos de uma dança. Mesmo assim, tentou concentrar-se no que lia.

Duas horas depois, deu-se conta de duas coisas.

A primeira, que precisava de jantar imediatamente, pois devia voltar ao "Copacabana".

A segunda, que a pessoa que escrevera aquele livro não entendia nada, NADA do assunto. Muita teoria, coisas orientais, rituais inúteis, sugestões idiotas. Via-se que o autor tinha meditado no Himalaia (precisava de saber onde ficava esse lugar), frequentado cursos de ioga (já tinha ouvido falar), lido muito sobre o assunto, pois citava um e outro autor, mas não tinha aprendido o essencial. Sexo não era teoria, incenso a queimar, pontos de contacto, reverências e salamaleques. Como é que aquela pessoa (na verdade, uma mulher) ousava escrever sobre um tema que nem Maria, que trabalhava nessa área, conhecia bem? Talvez fosse culpa do Himalaia, ou da necessidade de complicar algo cuja beleza está na simplicidade e na paixão. Se aquela mulher fora capaz de publicar e vender um livro tão estúpido, era melhor ela voltar a pensar seriamente no seu texto, *Onze Minutos*. Não era cínico nem falso – era apenas a sua história, nada mais.

Mas não tinha tempo, nem interesse; precisava de concentrar a sua energia em fazer Ralf Hart feliz, e em aprender a administrar fazendas.

Texto do Diário de Maria, logo depois de pôr
o aborrecido livro de lado:

Eu encontrei um homem, e apaixonei-me por ele.
Deixei-me apaixonar por uma simples razão: não espero
nada... Sei que daqui a três meses estarei longe, ele
será uma lembrança, mas já não conseguia viver sem
amor; estava no meu limite.

Estou a escrever uma história para Ralf Hart – é
esse o seu nome. Não estou certa se ele voltará à boîte
onde trabalho, mas, pela primeira vez na minha vida,
isso não faz a menor diferença. É suficiente amá-lo,
estar com ele no meu pensamento, e colorir esta cidade
tão bela com os seus passos, as suas palavras, o seu
carinho. Quando eu deixar este país, ele terá um rosto,
um nome, a lembrança de uma lareira. Tudo o mais
que vivi aqui, todas as coisas duras por que passei, não
serão nada ao pé dessa lembrança.

Gostaria de poder fazer por ele o que ele fez por
mim. Pensei muito, e descobri que não entrei naquele
café por acaso; os encontros mais importantes já foram
combinados pelas almas antes mesmo de os corpos se
verem.

Geralmente, esses encontros acontecem quando
chegamos a um limite, quando precisamos de morrer e
de renascer emocionalmente. Os encontros esperam-
-nos – mas a maior parte das vezes evitamos que eles
aconteçam. No entanto, se estamos desesperados, se já
não temos mais nada a perder, ou se estamos muito

entusiasmados com a vida, então o desconhecido manifesta-se, e o nosso universo muda de rumo.

Todos sabem amar, pois já nasceram com esse dom. Algumas pessoas já o fazem naturalmente bem, mas a maioria tem de reaprender, relembrar como se ama, e todos – sem excepção – precisam de arder na fogueira das suas emoções passadas, reviver algumas alegrias e dores, quedas e subidas, até conseguirem ver o fio condutor que existe por trás de cada novo encontro; sim, existe um fio ali.

E, então, os corpos aprendem a falar a linguagem da alma, a isso chama-se sexo, é isso que eu posso dar ao homem que me devolveu a alma, embora ele desconheça totalmente a sua importância na minha vida. Isso foi o que ele me pediu, e tê-lo-á; quero que ele seja muito feliz.

A vida é às vezes muito avara: a pessoa passa dias, semanas, meses e anos sem sentir nada de novo. Porém, quando abre uma porta – e foi esse o caso de Maria com Ralf Hart –, uma verdadeira avalanche entra pelo espaço aberto. Num momento não se tem nada, no momento seguinte tem-se mais do que consegue aguentar.

Duas horas depois de ter escrito o seu diário, quando chegou ao trabalho, foi procurada por Milan, o dono:

– Então, você saiu com o tal pintor.

Ele devia ser conhecido da casa – ela compreende-ra-o quando ele pagou por três clientes, a quantia certa, sem perguntar o preço. Maria limitou-se a fazer "sim" com a cabeça, procurando criar um certo mistério, ao qual Milan não ligou, já que conhecia esta vida melhor do que ela.

– Talvez já esteja preparada para o próximo passo. Existe um cliente especial que pergunta sempre por si. Eu digo-lhe que não tem experiência, e ele acredita em mim; mas talvez agora tenha chegado a altura de tentar.

Cliente especial?

– E o que é que isso tem a ver com o pintor?

– Também é um cliente especial.

Então tudo o que tinha feito com Ralf Hart já devia ter sido experimentado e feito por outra das suas colegas. Mordeu os lábios, e não disse nada – tinha passado uma bela semana, não podia esquecer-se do que escrevera.

– Devo fazer a mesma coisa que fiz com ele?

– Não sei o que fizeram; mas hoje, se alguém lhe oferecer um *drink*, não aceite. Os clientes especiais pagam melhor, e não se arrependerá.

O trabalho começou como de costume. As tailandesas sentavam-se juntas como sempre, as colombianas com o mesmo ar de quem compreendia tudo, as três brasileiras (entre as quais se incluía) fingiam um ar distraído, como se nada daquilo fosse novo ou interessante. Havia uma austríaca, duas alemãs, e o resto era composto por mulheres do antigo Leste Europeu, todas altas, de olhos claros, lindas, e que acabavam por se casar mais rapidamente que as outras.

Os homens entraram – russos, suíços, alemães, sempre executivos ocupados, capazes de pagar pelos serviços das prostitutas mais caras de uma das cidades mais caras do mundo. Alguns dirigiram-se à sua mesa, mas ela olhava sempre para Milan, e ele fazia um sinal negativo. Maria estava contente: não teria de abrir as pernas naquela noite, suportar cheiros, tomar duches em casas de banho nem sempre aquecidas, tudo o que precisava era ensinar a um homem, já cansado de sexo, como devia fazer amor. E agora, pensando bem, não era qualquer mulher que teria a mesma criatividade para inventar a história do presente.

Ao mesmo tempo perguntava-se: "Por que será que, depois de terem experimentado tudo, querem mesmo é voltar ao princípio?" Enfim, isso não era da sua conta; desde que pagassem bem, ela estava ali para os servir.

Um homem mais novo que Ralf Hart entrou; bonito, cabelos negros, dentes perfeitos, e um fato que lhe lembrava os chineses – sem gravata, apenas com uma gola alta, e uma camisa branca impecável por baixo. Dirigiu-se ao bar, ambos olharam Maria, e ele aproximou-se:

– Aceita um *drink*?

Milan fez que sim com a cabeça, e ela convidou-o a sentar-se à sua mesa. Pediu o seu *cocktail* de fruta, e esperava o convite para dançar, quando o homem se apresentou:

– O meu nome é Terence, e trabalho numa companhia discográfica em Inglaterra. Como sei que estou num lugar onde posso confiar nas pessoas, penso que isso irá ficar entre nós.

Maria ia começar a falar do Brasil, quando ele a interrompeu:

– Milan disse que você sabe o que eu quero.

– Não sei o que você quer. Mas percebo do que faço.

O ritual não foi cumprido; ele pagou a conta, agarrou-a pelo braço, entraram no táxi, e ele estendeu-lhe mil francos. Por um momento, ela lembrou-se do tal árabe com quem tinha ido jantar ao tal restaurante cheio de pinturas famosas; era a primeira vez que voltava a receber a mesma quantia, e, em vez de ficar contente, o facto deixou-a nervosa.

O táxi parou num dos hotéis mais caros da cidade. O homem disse boa-noite ao porteiro, demonstrando uma imensa familiaridade com o local. Subiram directamente para o quarto, uma *suite* com vista para o rio. Ele abriu uma garrafa de vinho – possivelmente muito raro – e ofereceu-lhe um copo.

Maria olhava-o enquanto bebia; o que é que uma pessoa como aquela, rica, bonita, desejava de uma prostituta? Como ele quase não falava, ela também permaneceu a maior parte do tempo em silêncio, procurando descobrir o que podia deixar um cliente especial satisfeito. Percebeu que não devia tomar a iniciativa, mas, uma vez que o processo começasse, pretendia acompanhá-lo com a velocidade que fosse necessária; afinal de contas, não era todas as noites que ganhava mil francos.

– Temos tempo – disse Terence. – Todo o tempo que quisermos. Pode dormir aqui, se assim desejar.

A insegurança voltou. O homem não parecia intimidado, e falava com uma voz calma, diferente de todos os outros. Sabia o que desejava; colocou uma música perfeita, na altura perfeita, no quarto perfeito, com a janela perfeita, que dava para o lago de uma cidade perfeita. O seu fato era de bom corte, a mala estava num canto, pequena, como se não precisasse de muita coisa para viajar – ou como se tivesse vindo a Genève apenas por aquela noite.

– Vou dormir a casa – respondeu Maria.

O homem à sua frente mudou por completo. Os seus olhos de cavalheiro ganharam um brilho frio, glacial.

– Sente-se ali – disse, apontando para uma cadeira ao lado da escrivaninha.

Era uma ordem! Uma verdadeira ordem. Maria obedeceu e, estranhamente, aquilo excitou-a.

– Sente-se direita. Estique as costas, como uma mulher de classe. Se não o fizer, vou castigá-la.

Castigar! Cliente especial! Num minuto ela percebeu tudo, tirou os mil francos da carteira e colocou-os na escrivaninha.

— Eu sei o que você quer – disse, olhando para o fundo daqueles olhos azuis gelados. – E não estou disposta.

O homem pareceu voltar ao normal, e viu que ela falava a sério.

— Beba o seu vinho – disse. – Não vou forçá-la a nada. Pode ficar mais um pouco, ou pode sair se quiser.

Aquilo deixou-a mais tranquila.

— Tenho um emprego. Tenho um patrão que me protege e acredita em mim. Por favor, não comente nada com ele.

Maria disse aquilo sem nenhum tom de humildade, sem implorar nada – era simplesmente a realidade da sua vida.

Terence também voltara a ser o mesmo homem – nem doce, nem duro, apenas alguém que, ao contrário dos outros clientes, dava a impressão de saber o que desejava. Agora parecia sair de um transe, de uma peça de teatro que ainda não tinha começado.

Valia a pena ir-se embora assim, sem nunca descobrir o que significa um "cliente especial"?

— O que é que você queria, exactamente?

— Você sabe. Dor. Sofrimento. E muito prazer.

"Dor e sofrimento não combinam com muito prazer", pensou Maria. Embora quisesse desesperadamente acreditar que sim, e desta forma transformar em positivas uma grande parte das experiências negativas da sua vida.

Ele deu-lhe a mão, e levou-a até à janela: do outro lado do lago podiam ver a torre de uma catedral – Maria lembrava-se que passara por ali enquanto percorria com Ralf Hart o caminho de Santiago.

– Vê este rio, este lago, estas casas, aquela igreja? Há quinhentos anos atrás, era tudo mais ou menos igual.

»Só que a cidade estava completamente vazia; uma doença desconhecida tinha-se espalhado por toda a Europa, e ninguém sabia porque morria tanta gente. Começaram a chamar à tal doença Peste Negra – uma punição que Deus tinha enviado ao mundo por causa dos pecados do homem.

»Então, um grupo de pessoas resolveu sacrificar-se pela humanidade: ofereceram aquilo que mais temiam, a dor física. Passaram a caminhar dia e noite por estas pontes, estas ruas, açoitando o próprio corpo com chicotes ou correntes. Sofriam em nome de Deus, e louvavam Deus com a sua dor. Em pouco tempo, descobriram que eram mais felizes ao fazer isso do que cozinhando o pão, trabalhando na lavoura, alimentando os animais. A dor já não era o sofrimento, mas o prazer de resgatar a humanidade dos seus pecados. A dor transformou-se em alegria, no sentido da vida, no prazer.

Os seus olhos voltaram a ter o mesmo brilho que vira alguns minutos antes. Pegou no dinheiro que ela tinha deixado em cima da escrivaninha, separou 150 francos e meteu-os na sua carteira.

– Não se preocupe com o seu patrão. Aqui está a comissão dele, e prometo que não lhe direi nada. Pode ir-se embora.

Ela agarrou em todo o dinheiro.

– Não!

Era o vinho, o árabe do restaurante, a mulher com o sorriso triste, a ideia de que nunca mais voltaria àquele maldito lugar, o medo do amor que chegava sob a forma de um homem, as cartas para a mãe que contavam uma linda vida cheia de oportunidades de trabalho, o menino que lhe pedira um lápis na infância, as lutas contra si mesma, a culpa, a curiosidade, o dinheiro, a busca dos seus próprios limites, as opções e as oportunidades que perdera. Outra Maria estava ali: já não oferecia presentes, mas entregava-se em sacrifício.

– O meu medo já passou. Vamos em frente. Se for necessário, castigue-me por ser rebelde. Menti, traí, agi mal para com quem me protegeu e me amou.

Ela tinha entrado no jogo. Dizia as coisas certas.

– Ajoelhe-se! – disse Terence, com uma voz baixa e assustadora.

Maria obedeceu. Nunca tinha sido tratada daquela maneira – e não sabia se era bom ou mau, apenas queria ir mais adiante, merecia ser humilhada por tudo o que fizera em toda a sua vida. Entrava numa personagem, uma nova personagem, uma mulher que desconhecia completamente.

– Você será castigada. Porque você é inútil, não conhece as regras, nada sabe sobre o sexo, sobre a vida, sobre o amor.

Enquanto falava, Terence transformava-se em dois homens distintos. Aquele que explicava calmamente as regras, e o que a fazia sentir-se a pessoa mais miserável do mundo.

– Sabe por que aceito isto? Porque não há maior prazer do que iniciar alguém num mundo desconhecido. Tirar a virgindade – não do corpo, mas da alma, compreende?

Compreendia.

– Hoje poderá fazer perguntas. Mas da próxima vez, quando a cortina do nosso teatro abrir, a peça começa e não pode parar. Se parar, é porque as nossas almas não se combinaram. Lembre-se: é uma peça de teatro. Você tem de ser aquela personagem que nunca teve coragem de ser. A pouco e pouco, descobrirá que tal personagem é você mesma, mas até conseguir ver isso com clareza, procure fingir, inventar.

– E se eu não suportar a dor?

– Não existe dor, existe algo que se transforma em delícia, em mistério. Faz parte da peça pedir: "Não me trate assim, dói muito." Faz parte pedir: "Pare, eu não aguento mais!" E por isso, para evitar o perigo... baixe a cabeça e não me olhe!

Maria, ajoelhada, baixou a cabeça e fitou o chão.

– Para evitar que esta relação cause danos físicos sérios, teremos dois códigos. Se um de nós disser "amarelo", tal significa que a violência deve ser reduzida um pouco. Se disser "vermelho", deve-se parar imediatamente.

– Você disse "um de nós"?

– Os papéis alternam-se. Não existe um sem o outro, e ninguém saberá humilhar se não for também humilhado.

Aquelas palavras eram terríveis, vindas de um mundo que não conhecia, cheio de sombra, de lama, de podridão. Mesmo assim, ela sentia vontade de ir em frente – o seu corpo tremia de medo e de excitação.

A mão de Terence tocou na sua cabeça, com uma ternura inesperada.

– Fim.

Pediu que se levantasse. Sem especial carinho, mas sem a agressividade seca que demonstrara. Maria vestiu o casaco, ainda tremendo. Terence reparou no seu estado.

– Fume um cigarro antes de ir.

– Não aconteceu nada.

– Não é necessário. Começará a acontecer na sua alma, e, da próxima vez que nos encontrarmos, estará pronta.

– Esta noite valeu mil francos?

Ele não respondeu. Acendeu também um cigarro, e acabaram o vinho, ouviram a música perfeita, saborearam juntos o silêncio. Até que chegou o momento de dizer alguma coisa, e Maria surpreendeu-se com as suas próprias palavras.

– Não compreendo porque tenho vontade de pisar nesta lama.

– Mil francos.

– Não é isso.

Terence parecia contente com a resposta.

– Eu também já me perguntei a mesma coisa. O Marquês de Sade dizia que as experiências mais importantes do homem são aquelas que o levam ao extremo; só assim aprendemos – porque isso requer toda a nossa coragem.

»Quando um patrão humilha um empregado, ou um homem humilha a sua mulher, ele é apenas cobarde, ou vinga-se da vida, são pessoas que nunca ousaram olhar no fundo das suas almas, nunca procuraram saber de onde vem o desejo de soltar a fera selvagem, entender que o sexo, a dor, o amor, são experiências limites do homem.

»E só quem conhece essas fronteiras, conhece a vida; o resto é apenas passar o tempo, repetir uma mesma tarefa, envelhecer e morrer sem ter realmente sabido o que fazemos aqui.

De novo a rua, de novo o frio, de novo a vontade de andar. O homem estava errado, não era preciso conhecer os seus demónios para encontrar Deus. Passou por um grupo de estudantes que saía de um bar; estavam alegres, tinham bebido um pouco, eram bonitos, cheios de saúde, em breve terminariam a universidade e começariam aquilo a que chamam "a verdadeira vida". Trabalho, casamento, filhos, televisão, amargura, velhice, sensação de muita coisa perdida, frustrações, doença, invalidez, dependência dos outros, solidão, morte.

O que é que estava a acontecer? Também ela buscava tranquilidade para viver a sua "verdadeira vida"; o tempo passado na Suíça, a fazer algo que nunca sonhara fazer na sua vida, era apenas um período difícil, que todas as pessoas enfrentam mais cedo ou mais tarde. Nesse período difícil, frequentava o "Copacabana", saía com homens por dinheiro, vivia a Menina Ingénua, a Mulher Fatal e a Mãe Carinhosa, dependendo do cliente.

Era apenas um trabalho, ao qual se dedicava com o máximo de profissionalismo – por causa das gorjetas – e o mínimo de interesse – por medo de se habituar a ele. Passara nove meses a controlar o mundo à sua volta, e pouco tempo antes de voltar para a sua terra descobria-se capaz de amar sem exigir nada em troca, e de sofrer sem motivo. Como se a vida tivesse escolhido este meio sórdido, estranho, para lhe ensinar algo sobre os seus próprios mistérios, a sua luz e as suas trevas.

Do Diário de Maria na noite em que encontrou Terence pela primeira vez:

Ele citou Sade, de quem eu nunca tinha lido uma só linha, apenas ouvido os comentários tradicionais sobre o sadismo: "Só nos conhecemos quando encontramos os nossos próprios limites", e isso está certo. Mas isso também está errado, porque não é importante conhecer tudo a respeito de nós mesmos; o ser humano não foi feito apenas para buscar a sabedoria, mas também para arar a terra, esperar a chuva, plantar o trigo, colher o grão, fazer o pão.

Sou duas mulheres: uma deseja ter toda a alegria, a paixão, as aventuras que a vida pode dar. A outra quer ser escrava de uma rotina, da vida familiar, das coisas que podem ser planeadas e cumpridas. Sou a dona de casa e a prostituta, ambas vivendo no mesmo corpo, e uma lutando contra a outra.

O encontro de uma mulher consigo mesma é uma brincadeira com sérios riscos. Uma dança divina. Quando nos encontramos, somos duas energias divinas, dois universos que se chocam. Se o encontro não tem a reverência necessária, um universo destrói o outro.

Estava de novo na sala de estar da casa de Ralf Hart, o fogo na lareira, o vinho, os dois sentados no chão, e tudo o que experimentara no dia anterior com aquele executivo inglês de uma empresa discográfica não passava de um sonho ou de um pesadelo – dependendo do seu estado de espírito. Agora voltava para a busca da sua razão de viver – melhor dizendo, para a entrega mais louca possível, aquela que nada deseja em troca.

Crescera muito enquanto esperava este momento. Descobrira, finalmente, que o amor real nada tinha a ver com o que imaginava, ou seja, uma cadeia de acontecimentos provocados pela energia amorosa – namoro, compromisso, casamento, filhos, espera, cozinha, parque de diversões aos domingos, mais espera, velhice juntos, a espera acabou e em seu lugar veio a reforma do marido, as doenças, a sensação de que já é muito tarde para viver juntos o que sonhavam.

Olhou para o homem a quem decidira entregar-se, e a quem decidira nunca contar o que sentia, porque o que sentia agora estava longe de qualquer forma, inclusive da física. Ele parecia mais à vontade, como se estivesse a começar um período interessante da sua existência. Sorria, contava histórias da sua recente viagem a Munique, para se encontrar com um importante director de um museu.

– Perguntou se a tela sobre as faces de Genève estava pronta. Eu disse-lhe que tinha encontrado uma das principais pessoas que gostaria de pintar. Uma mulher cheia de luz. Mas não quero falar de mim, quero abraçá-la. Desejo-a.

Desejo. Desejo? Desejo! Isso, esse era o ponto de partida para aquela noite, porque era algo que ela conhecia muito bem!

Por exemplo: desperta-se o desejo não entregando logo o seu objecto.

– Então deseja-me. Estamos a fazer isso, neste momento. Estás a menos de um metro de mim, foste a uma *boîte*, pagaste os meus serviços, sabes que tens o direito de me tocar. Mas não ousas. Olha-me. Olha-me, e pensa que talvez eu não queira que me olhes. Imagina o que está escondido debaixo da minha roupa.

Usava sempre vestidos pretos para trabalhar, e não percebia porque é que as outras raparigas do "Copacabana" tentavam ser provocantes com os seus decotes e cores agressivas. Para ela, excitar um homem era vestir-se como qualquer mulher que ele possa encontrar no escritório, no comboio, ou na casa de uma amiga da mulher.

Ralf olhou-a, Maria sentiu que ele a despia, e gostou de ser desejada daquela maneira – sem contacto, como num restaurante ou na bilheteira do cinema.

– Estamos numa estação – continuou Maria. – Estou à espera do comboio ao pé de ti, não me conheces. Mas os meus olhos cruzam-se com os teus, por acaso, e não se desviam. Não sabes o que é que tento dizer-te, porque, embora sejas um homem inteligente, capaz de ver a "luz" das pessoas, não és suficientemente sensível para veres o que esta luz ilumina.

Tinha aprendido o "teatro". Quis esquecer rapidamente o rosto do tal executivo inglês, mas ele estava ali, guiando a sua imaginação.

– Os meus olhos estão fixos nos teus, e posso estar a perguntar a mim mesma: "Será que o conheço de algum lugar?" Ou posso estar distraída. Ou posso estar com medo de ser antipática, talvez me conheças, vou dar-te o benefício da dúvida por alguns segundos, até concluir que é um facto ou um mal-entendido.

»Mas também posso desejar a coisa mais simples do mundo: encontrar um homem. Posso estar a tentar fugir de um amor em que sofri. Posso estar a procurar vingar-me de uma traição que acabou de acontecer, e resolvi dirigir-me à estação de comboios em busca de um desconhecido. Posso desejar ser a tua prostituta só por uma noite, só para fazer algo diferente na minha vida aborrecida. Posso, inclusive, ser realmente uma prostituta, que está ali para conseguir trabalho.

Um silêncio breve; Maria tinha-se distraído de repente. Voltara para o tal hotel, a humilhação – "amarelo", "vermelho", dor e muito prazer. Aquilo tinha mexido com a sua alma de uma maneira de que não gostava.

Ralf notou, e procurou conduzi-la de novo para a estação de comboios:

– Neste encontro, também me desejas?

– Não sei. Não nos falamos, tu não sabes.

Outros segundos de distracção. De qualquer maneira, a ideia do "teatro" ajudava muito; fazia surgir a verdadeira personagem, afastava as muitas pessoas falsas que habitam em nós mesmos.

– Mas o facto é que eu não desvio os olhos, e tu não sabes o que fazer. Deves aproximar-te? Serás rejeitado? Chamarei um polícia? Ou convidar-te-ei para tomar café?

– Regresso de Munique – disse Ralf Hart, e o seu tom de voz era diferente, como se estivessem realmente a encontrar-se pela primeira vez. – Penso numa colecção de quadros sobre as personalidades do sexo. As muitas máscaras que as pessoas usam para nunca viverem o verdadeiro encontro.

Ele conhecia o "teatro". Milan dissera-lhe que ele era também um cliente especial. O alarme tocou, mas ela precisava de tempo para pensar.

– O director do museu perguntou-me: Em que pretende basear o seu trabalho? Eu respondi: Em mulheres que se sentem livres para fazer amor por dinheiro. Ele comentou: Não pode ser, chamamos a essas mulheres prostitutas. Eu respondi: Bem, são prostitutas, vou estudar a história delas e farei algo mais intelectual, mais ao gosto das famílias que frequentam o seu museu. É tudo uma questão de cultura, sabia? De apresentar de uma maneira agradável aquilo que custa a ser digerido.

»O director insistiu: Mas o sexo já não é tabu. É uma coisa tão explorada que é difícil fazer um trabalho sobre esse assunto. Eu respondi: E você sabe de onde vem o desejo sexual? Do instinto, disse o director. Sim, do instinto, mas isso toda a gente sabe. Como fazer uma bela exposição, se falarmos apenas de ciência? Eu quero falar de como o homem explica essa atracção. Como um filósofo, por exemplo, o explicaria. O director pediu-me para lhe dar um exemplo. Eu respondi-lhe que, quando apanhasse o comboio de volta para casa e alguma mulher me olhasse, eu iria falar com ela; dir-lhe-ia que, por ser uma estranha, podíamos ter a liberdade de fazer tudo o que tivéssemos sonhado, viver todas as nossas fantasias, e depois ir para as nossas casas, as nossas mulheres e os nossos maridos, sem que alguma vez nos voltássemos a encontrar. E então, nessa estação de comboio, vejo-te.

– A tua história é tão interessante que está a matar o desejo.

Ralf Hart riu, e concordou. O vinho tinha acabado, ele foi à cozinha buscar mais uma garrafa, e ela ficou a olhar o fogo, já sabendo qual seria o próximo passo, mas ao mesmo tempo saboreando aquele ambiente acolhedor, esquecendo o executivo inglês, voltando a entregar-se.

Ralf serviu os dois copos.

– Apenas como curiosidade, de que maneira acabarias esta história com o director?

– Citaria Platão, já que estaria diante de um intelectual. Segundo ele, no início da criação, os homens e as mulheres não eram como são hoje; havia apenas um ser, baixo, com um corpo e um pescoço, mas a cabeça tinha duas faces, cada uma olhando para uma direcção. Era como se as duas criaturas estivessem presas pelas costas, com dois sexos opostos, quatro pernas, quatro braços.

»Os deuses gregos, porém, eram ciumentos, e viram que uma criatura que tinha quatro braços trabalhava mais, as duas faces opostas estavam sempre vigilantes e não podiam ser atacadas à traição, quatro pernas não exigiam tanto esforço para ficar de pé ou andar por longos períodos. E, o que era mais perigoso, a tal criatura tinha dois sexos diferentes, não precisava de ninguém para continuar a reproduzir-se.

»Então, disse Zeus, o supremo senhor do Paraíso: "Tenho um plano para fazer com que estes mortais percam a sua força."

»E, com um raio, cortou a criatura em dois, criando o homem e a mulher. Isso aumentou muito a população do mundo, e ao mesmo tempo desorientou e enfraqueceu os que nele habitavam – porque agora tinham de procurar de novo a sua parte perdida, abraçá-la novamente, e nesse abraço recuperar a força antiga, a capacidade de evitar a traição, a resistência para andar durante longos períodos e aguentar o trabalho cansativo. A esse abraço em que os dois corpos se fundem de novo em um chamamos sexo.

– Essa história é verdadeira?

– Segundo Platão, o filósofo grego.

Maria olhava-o fascinada, e a experiência da noite anterior tinha desaparecido por completo. Ela via o homem à sua frente cheio da mesma "luz" que ele vira nela, contando aquela estranha história com entusiasmo, os olhos brilhando não mais de desejo, mas de alegria.

– Posso pedir-te um favor?

Ralf respondeu que podia pedir qualquer coisa.

– Podes descobrir por que razão, depois de os deuses separarem a tal criatura com quatro pernas, algumas delas resolveram que o tal abraço podia ser apenas uma coisa, um negócio como outro qualquer – que, em vez de aumentar, retira a energia às pessoas?

– Estás a falar de prostituição?

– Sim. Podes descobrir quando é que o sexo deixou de ser sagrado?

– Fá-lo-ei, se quiseres – respondeu Ralf. Mas nunca pensei nisso, e creio que ninguém pensou; talvez não haja material sobre esse assunto.

Maria não aguentou a pressão:

– Já te ocorreu pensar que as mulheres, principalmente as prostitutas, são capazes de amar?

– Sim, já me ocorreu. Ocorreu-me no primeiro dia, quando estávamos à mesa do café, quando vi a tua luz. Então, quando pensei em convidar-te para tomar um café, escolhi acreditar em tudo, inclusive na possibilidade que tu me devolvesses ao mundo, de onde parti faz muito tempo.

Agora não havia mais volta. Maria, a mestra, precisava de ir imediatamente em seu socorro, ou ela beijá-lo-ia, abraçá-lo-ia, pediria que não a deixasse.

– Vamos voltar para a estação de comboios – disse. – Melhor dizendo, vamos voltar para esta sala, para o dia em que viemos aqui pela primeira vez, e tu reconheceste que eu existia, e me deste um presente. Foi a primeira tentativa de entrar na minha alma, e não sabias se eras bem-vindo. Mas, como diz a tua história, os seres humanos foram divididos, e agora buscam de novo o abraço que os una. Esse é o nosso instinto. Mas também a nossa razão para aguentar todas as coisas difíceis que acontecem durante essa busca.

»Eu quero que me olhes, e quero, ao mesmo tempo, que evites fazer com que eu o note. O primeiro desejo é importante porque ele é subterrâneo, proibido, não consentido. Tu não sabes se estás diante da tua outra metade perdida, ela tão-pouco o sabe, mas algo os atrai – e é preciso acreditar que é verdade.

»De onde retiro tudo isto? Retiro tudo isto do fundo do meu coração, porque gostaria que sempre tivesse sido assim. Retiro estes sonhos do meu próprio sonho de mulher.

Ela baixou um pouco a alça do vestido, de modo que uma parte, apenas uma ínfima parte do bico do seu seio ficasse a descoberto.

– O desejo não é o que vês, mas aquilo que imaginas.

Ralf Hart olhava uma mulher de cabelos negros, e roupa igual aos cabelos, sentada no chão da sua sala de visitas, cheia de desejos absurdos, como ter uma lareira acesa em pleno Verão. Sim, queria imaginar o que aquela roupa escondia, podia ver o tamanho dos seus seios, sabia que o *soutien* que ela usava era desnecessário, embora fosse provavelmente uma obrigação do ofício. Os seus seios não eram grandes, não eram pequenos, eram jovens. O seu olhar não mostrava nada; o que fazia ela ali? Por que alimentava ele aquela relação perigosa, absurda, se não tinha nenhum problema em arranjar uma mulher? Era rico, jovem, famoso, de boa aparência. Adorava o seu trabalho, tinha amado as mulheres com quem se casara, tinha sido amado. Enfim, era uma pessoa quem, segundo todos os padrões, devia dizer: "Eu sou feliz."

Mas não era. Enquanto a maioria dos seres humanos lutava por um pedaço de pão, um tecto sob o qual morar, um emprego que permitisse viver com dignidade, Ralf Hart tinha tudo isso, o que o fazia mais miserável na sua angústia. Se fizesse um balanço da sua vida recente, talvez conseguisse dois, três dias, em que tivesse acordado, olhado o Sol – ou a chuva – e se tivesse sentido alegre por estar vivo, apenas alegre, sem desejar nada, sem planear nada, sem pedir nada em troca. Excluindo esses poucos dias, o resto da sua existência tinha sido gasta em sonhos, frustrações e realizações, desejo de se superar a si mesmo, viagens além dos seus limites; não sabia exactamente a quem ou o quê, mas passara a sua vida tentando provar alguma coisa.

Olhava a bela mulher à sua frente, discretamente vestida de negro, alguém que encontrara por acaso, embora já a tivesse visto anteriormente numa *boîte*, e reparado que não combinava com o lugar. Ela pedia-lhe que a desejasse, e ele desejava-a muito, muito mais do que podia imaginar – mas não eram os seus seios, ou o seu corpo; era a sua companhia. Queria abraçá-la, ficar em silêncio a olhar o fogo, bebendo vinho, fumando um e outro cigarro, isso era o suficiente. A vida era feita de coisas simples, estava cansado de todos os anos em busca de algo que não sabia o que era.

No entanto, se o fizesse, se a tocasse, tudo estaria perdido. Porque apesar da sua "luz", não estava certo se ela compreendia o quanto ele sentia, como era bom estar ao seu lado. Estava a pagar-lhe? Sim, e continuaria a pagar o tempo que fosse necessário até poder sentar-se com ela à beira do lago, falar de amor – e ouvir a mesma coisa de volta. Era melhor não arriscar, não precipitar as coisas, não dizer nada.

Ralf Hart parou de se torturar, e voltou a concentrar--se no jogo que acabavam de criar juntos. A mulher à sua frente estava certa: não bastava o vinho, o fogo, o cigarro, a companhia; era preciso outro tipo de embriaguez, outro tipo de chama.

A mulher usava um vestido de alças, e tinha deixado um seio à mostra, podia ver a sua carne, mais morena que branca. Desejou-a. Desejou-a muito.

Maria reparou na mudança nos olhos de Ralf. Saber--se desejada excitava-a mais do que qualquer outra coisa.

Nada tinha a ver com a forma automática – quero fazer amor contigo, quero casar, quero que tenhas um orgasmo, quero ter um filho, quero compromissos. Não, o desejo era uma sensação livre, solta no espaço, vibrando, enchendo a vida com a vontade de ter algo – e isso bastava, essa vontade empurrava tudo para a frente, desmoronava as montanhas, deixava o seu sexo húmido.

O desejo era a fonte de tudo – de sair da sua terra, de descobrir um novo mundo, de aprender francês, de superar os seus preconceitos, de sonhar com uma fazenda, de amar sem pedir nada em troca, de se sentir mulher apenas por causa do olhar de um homem. Com uma lentidão calculada, baixou a outra alça, e o vestido escorregou pelo seu corpo. Em seguida, desabotoou o *soutien*. Ali ficou, com a parte superior do corpo completamente desnuda, imaginando se ele iria saltar sobre ela, tocá-la, fazer juras de amor – ou se era suficientemente sensível para sentir, no próprio desejo, o mesmo prazer do sexo.

As coisas em volta dos dois começaram a mudar, os ruídos já não existiam, a lareira, os quadros, os livros foram desaparecendo, substituídos por uma espécie de transe, onde apenas o obscuro objecto do desejo existe, e nada mais tem importância.

O homem não se mexeu. No início, sentiu uma certa timidez nos seus olhos, que não durou muito. Ele olhava-a, e no mundo da sua imaginação ele acariciava-a com a sua língua, faziam amor, suavam, abraçavam-se, misturavam ternura e violência, gritavam e gemiam juntos.

No mundo real, porém, nada diziam, nenhum dos dois se movia, e isso deixava-a mais excitada ainda, porque também ela estava livre para pensar o que quisesse. Pedia-lhe que a tocasse com suavidade, abria as pernas, masturbava-se diante dele, dizia frases românticas e vulgares como se fossem a mesma coisa, tinha vários orgasmos, acordava os vizinhos, acordava o mundo inteiro com os seus gritos. Ali estava o seu homem, que lhe dava prazer e alegria, com quem podia ser quem era, falar dos seus problemas sexuais, contar o quanto gostaria de continuar junto dele o resto da noite, da semana, da vida.

O suor começou a pingar da testa de ambos. Era a lareira, dizia um mentalmente ao outro. Mas tanto o homem como a mulher naquela sala tinham chegado ao seu limite, usado toda a imaginação, vivido juntos uma eternidade de momentos bons. Precisavam de parar, porque mais um passo e aquela magia seria desfeita pela realidade.

Com muita lentidão – porque o final é sempre mais difícil que o princípio, ela voltou a vestir o *soutien*, e escondeu os seios. O Universo voltou ao seu lugar, as coisas em volta tornaram a surgir, ela levantou o vestido que tombara até à cintura, sorriu, e com suavidade tocou-lhe o rosto. Ele pegou na sua mão e apertou-a contra a sua face, sem saber também até quando devia mantê-la ali, ou com que intensidade devia agarrá-la.

Ela sentiu vontade de dizer que o amava. Mas isso estragaria tudo, poderia assustá-lo ou – o que era pior – poderia fazer com que respondesse que também a amava. Maria não queria isso: a liberdade do seu amor era não ter nada a pedir ou a esperar.

– Quem é capaz de sentir, sabe que é possível ter prazer antes mesmo de tocar outra pessoa. As palavras, os olhares, tudo isso contém o segredo da dança. Mas o comboio chegou, cada um vai para o seu lado. Espero poder acompanhar-te nesta viagem até... até onde?

– De volta a Genève – respondeu Ralf.

Quem observa, e descobre a pessoa com quem sempre sonhou, sabe que a energia sexual acontece antes do próprio sexo. O maior prazer não é o sexo, é a paixão com que ele é praticado. Quando essa paixão é de grande qualidade, o sexo vem para consumar a dança, mas ele nunca é o ponto principal.

– Estás a falar de amor como uma professora.

Maria continuava, porque essa era a sua defesa, a sua maneira de dizer tudo sem se comprometer com nada:

– Quem está apaixonado está sempre a fazer amor, mesmo quando não o está a fazer. Quando os corpos se encontram, é apenas o transbordar da taça. Podem ficar juntos durante horas, até dias. Podem começar a dança num dia e acabar noutro, ou até mesmo não acabar, de tanto prazer. Não tem nada a ver com onze minutos.

– O quê?

– Eu amo-te.

– Eu também te amo.

– Perdão. Não sei o que estou a dizer.

– Nem eu.

Levantou-se, deu-lhe um beijo, e saiu. Ela mesma podia abrir a porta, já que a superstição brasileira dizia que o dono da casa só precisava de o fazer quando se fosse embora pela primeira vez.

Do Diário de Maria, escrito de manhã:

Ontem à noite, quando Ralf Hart me olhou, abriu uma porta, como se fosse um ladrão; mas, ao ir-se embora, não levou nada de mim, pelo contrário, deixou o cheiro de rosas – não era um ladrão, mas um noivo que me visitava.

Cada ser humano vive o seu próprio desejo; faz parte do seu tesouro, e, embora seja uma emoção que pode afastar alguns, geralmente traz quem é importante para perto. É uma emoção que a minha alma escolheu, e tão intensa que pode contagiar tudo e todos à minha volta.

Em cada dia escolho a verdade com que pretendo viver. Procuro ser prática, eficiente, profissional. Mas gostaria de poder escolher, sempre, o desejo como meu companheiro. Não por obrigação, nem para atenuar a solidão da minha vida, mas porque é bom. Sim, é muito bom.

O "Copacabana" tinha, em média, 38 mulheres que frequentavam a casa com regularidade, embora apenas uma, a filipina Nyah, pudesse ser considerada por Maria como o mais próximo de uma amiga. A média de permanência ali era no mínimo de seis meses, e no máximo de três anos – porque depressa recebiam um convite para casar, serem amantes fixas, ou já não conseguiam atrair a atenção dos fregueses e Milan pedia, delicadamente, que procurassem outro local de trabalho.

Por isso, era importante respeitar a clientela de cada uma, e nunca procurar seduzir os homens que ali entravam e iam direitos a determinada rapariga. Além de ser desonesto, podia ser muito perigoso; na semana anterior, uma colombiana tirara delicadamente uma lâmina de barbear do bolso, colocara-a em cima do copo de uma jugoslava, e dissera com a voz mais tranquila do mundo que a desfiguraria, se insistisse em aceitar o convite de um certo director de um banco que costumava ir ali com regularidade. A jugoslava alegara que o homem era livre e, se a tinha escolhido, ela não podia recusar-se.

Naquela noite, o homem entrou, cumprimentou a colombiana, e foi para a mesa onde estava a outra. Tomaram o *drink*, dançaram, e – Maria achou que era provocação a mais – a jugoslava piscou o olho à outra, como se lhe dissesse: "Vês? Ele escolheu-me!"

Mas aquela piscadela de olho continha muitas outras coisas não ditas: ele escolheu-me porque sou mais bonita, porque estive com ele na semana passada e ele gostou, porque sou jovem. A colombiana não disse nada. Quando a jugoslava voltou, duas horas depois, ela sentou-se ao seu lado, tirou a lâmina de barbear do bolso, e cortou o rosto da outra junto à orelha: nada de profundo, nada de perigoso, apenas o suficiente para deixar uma pequena cicatriz que a lembrasse para sempre daquela noite. As duas atracaram-se, o sangue espirrou para todos os lados, os fregueses saíram assustados.

Quando a polícia chegou e quis saber o que se passava, a jugoslava disse que tinha feito um corte no rosto num copo que caíra de uma estante (não existiam estantes no "Copacabana"). Essa era a lei do silêncio, ou a "omertá", como gostavam de dizer as prostitutas italianas: tudo o que tivesse de ser resolvido na Rue de Berne, do amor à morte, seria resolvido – mas sem a interferência da lei. Ali, elas faziam a lei.

A polícia conhecia a "omertá", notou que a mulher mentia, mas não insistiu no assunto – ia custar muito dinheiro ao contribuinte suíço se resolvesse prendê-la, processá-la, e alimentá-la durante o tempo em que estivesse na prisão. Milan agradeceu à polícia pela pronta interferência, mas era tudo um mal-entendido, ou alguma intriga de um concorrente.

Assim que eles saíram, pediu às duas que nunca mais voltassem ao seu bar. Afinal de contas, o "Copacabana" era um lugar familiar (uma afirmativa que Maria tinha dificuldade em perceber) e tinha uma reputação a manter (o que a deixava mais intrigada ainda). Ali não havia brigas, porque a primeira lei era respeitar o cliente.

A segunda lei era a total discrição, "semelhante à de um banco suíço" dizia ele. Principalmente porque ali se podia confiar nos clientes, que eram seleccionados como um banco selecciona os seus – baseado na conta corrente, mas também no registo criminal, ou seja, nos bons antecedentes.

Às vezes havia algum equívoco, alguns casos raros de não pagamento, de agressão ou de ameaças às raparigas, mas, nos muitos anos em que criara e desenvolvera com esforço a fama da sua *boîte*, Milan sabia identificar quem devia ou não frequentar a casa. Nenhuma das mulheres sabia identificar exactamente qual era o seu critério, porém, mais de uma vez, já tinham visto alguém bem vestido ser informado de que a *boîte* estava cheia naquela noite (embora estivesse vazia) e nas noites seguintes (ou seja: por favor não volte). Também tinham visto pessoas com roupa desportiva e barba por fazer serem entusiasticamente convidadas por Milan para tomarem um copo de champanhe. O dono do "Copacabana" não julgava pelas aparências, e no final das contas tinha sempre razão.

Numa boa relação comercial, todas as partes precisam de ficar satisfeitas. A grande maioria dos clientes era casada, ou tinha uma posição importante em alguma empresa. Também algumas das mulheres que ali trabalhavam eram casadas, tinham filhos e frequentavam as reuniões de pais nas escolas, sabendo que não corriam qualquer risco: se um dos pais aparecesse no "Copaca-bana", também estaria comprometido, e não poderia dizer nada: assim funcionava a "omertá".

Havia camaradagem, mas não havia amizade; ninguém falava muito da sua vida. Nas poucas conversas que tivera, Maria não descobrira amargura ou culpa ou tristeza entre a suas companheiras: apenas uma espécie de resignação. E também um estranho olhar de desafio, como se estivessem orgulhosas delas mesmas, enfrentando o mundo, independentes e confiantes. Passada uma semana, qualquer rapariga recém-chegada já era considerada uma "profissional", e recebia instruções para ajudar sempre a manter os casamentos (uma prostituta não pode ser uma ameaça à estabilidade de um lar), para nunca aceitar convites para encontros fora do horário de trabalho, para ouvir confidências sem dar opiniões, para gemer na altura do orgasmo (Maria descobrira que todas o faziam, e que no início não lhe tinham contado porque era um dos truques da profissão), para cumprimentar os polícias na rua, para manter actualizada a carteira de trabalho e os exames de saúde, e finalmente para não se interrogar muito sobre os aspectos morais ou legais do que faziam; eram o que eram, e ponto final.

Antes que o movimento começasse, Maria podia sempre ser vista com um livro, e logo passou a ser conhecida como a "intelectual" do grupo. No início, queriam saber se eram histórias de amor, mas ao verem que se tratava de assuntos áridos e desinteressantes como economia, psicologia, e – recentemente – administração de fazendas, logo a deixavam sozinha para que continuasse sossegada a sua pesquisa e as suas anotações.

Por ter muitos clientes fixos, e por ir ao "Copacabana" todos os dias, mesmo quando o movimento era pouco,

Maria ganhou a confiança de Milan e um certo despeito das companheiras; comentavam que a brasileira era ambiciosa, arrogante, e só pensava em ganhar dinheiro – sendo que esta última parte não deixava de ser verdade, embora ela tivesse vontade de perguntar se todas as outras não estavam ali pelo mesmo motivo.

De qualquer maneira, comentários não matam – fazem parte da vida de qualquer pessoa bem-sucedida. Era melhor ignorá-los, concentrando a atenção nos seus dois únicos objectivos: voltar para o Brasil na data marcada e comprar uma fazenda.

Agora, Ralf Hart estava no seu pensamento de manhã à noite, e pela primeira vez era capaz de ser feliz com um amor ausente – embora um pouco arrependida de o ter confessado, arriscando-se a perder tudo. Mas o que tinha a perder, se não pedia nada em troca? Lembrou-se de como o seu coração batera mais rapidamente quando Milan mencionara que ele era – ou já tinha sido – um cliente especial. O que significava aquilo? Sentiu-se traída, ficou com ciúmes.

Claro que o ciúme é normal, embora a vida já lhe tivesse ensinado que era inútil pensar que alguém pode possuir outra pessoa – quem acredita que isso é possível quer enganar-se a si mesmo. Apesar disso, não se pode reprimir a ideia do ciúme, ou de ter grandes ideias intelectuais a respeito dele, ou ainda achar que é uma demonstração de fragilidade.

O amor mais forte é aquele que pode mostrar a sua fragilidade. De qualquer maneira, se o meu amor for verdadeiro (e não apenas uma maneira de me distrair, de me enganar, de passar o tempo que não passa nunca nesta cidade), a liberdade vencerá o ciúme, e a dor que ele provoca – já que também a dor é parte de um processo natural. Quem faz desporto sabe-o: se quiser atingir os seus objectivos, precisa de estar disposto a sofrer uma dose diária de dor ou de mal-estar. No início, é incómodo e desmotivante, mas com o correr do tempo entende-se que faz parte do processo de se sentir bem, e chega um momento em que, sem a dor, temos a sensação de que o exercício não faz o efeito desejado.

O perigoso é centrar-se nessa dor, dar-lhe um nome, mantê-la sempre presente no pensamento; e disso, graças a Deus, já Maria se conseguira livrar.

Mesmo assim, às vezes descobria-se a pensar onde é que ele estaria, porque não a procurava, se a tinha achado estúpida com aquela história da estação do comboio e do desejo reprimido, se fugira para sempre porque ela confessara o seu amor. Para evitar que sentimentos tão belos se transformassem em sofrimento, ela desenvolveu um método: quando algo de positivo ligado a Ralf Hart viesse à sua cabeça – e isso podia ser a lareira e o vinho, uma ideia que gostaria de discutir com ele, ou simplesmente a ansiedade agradável de saber quando voltaria, Maria parava o que estava a fazer, sorria para o céu, e agradecia por estar viva e não esperar nada do homem que amava.

Porém, se o seu coração começasse a protestar contra a ausência, ou contra as coisas erradas que dissera quando estavam juntos, ela dizia a si mesma:

"Ah, queres pensar nisso? Então, tudo bem; continua a fazer o que desejas, enquanto eu me dedico a coisas mais importantes."

Continuava a ler, ou, se estivesse na rua, começava a prestar atenção a tudo o que estava à sua volta: as cores, as pessoas, os sons – principalmente os sons dos seus passos, das páginas que virava, dos carros, dos fragmentos de conversas, e o pensamento incómodo acabava por desaparecer. Se voltasse cinco minutos depois, ela repetia o processo, até que estas lembranças, ao serem aceites, mas gentilmente rejeitadas, se afastassem por um tempo considerável.

Um destes "pensamentos negativos" era a possibilidade de não voltar a vê-lo. Com um pouco de prática e muita paciência, ela conseguiu transformá-lo num "pensamento positivo": quando partisse, Genève teria o rosto de um homem com cabelos muito compridos e fora de moda, sorriso infantil, voz grave. Se alguém lhe perguntasse, muitos anos depois, como era o lugar que conhecera na sua juventude, ela poderia responder:

"Bonito, capaz de amar e de ser amado."

*Do Diário de Maria, num dia de pouco
movimento no "Copacabana":*

*De tanto conviver com as pessoas que vêm aqui,
chego à conclusão de que o sexo tem sido utilizado como
qualquer outra droga: para fugir à realidade, para esquecer os problemas, para relaxar. E como todas as drogas, é uma prática nociva e destruidora.*

*Se uma pessoa se quer drogar, seja com sexo ou com
qualquer outra coisa, isso é um problema seu; as consequências dos seus actos serão melhores ou piores de acordo com aquilo que ela escolheu para si mesma. Mas se
falamos em avançar na vida, temos de entender que o que
é "bom" é bem diferente do que é "melhor".*

*Ao contrário do que os meus clientes pensam, o
sexo não pode ser praticado a qualquer hora. Há um
relógio escondido em cada um, e para fazer amor os
ponteiros das duas pessoas têm de marcar a mesma
hora ao mesmo tempo. Isso não acontece todos os dias.
Quem ama não depende do acto sexual para se sentir
bem. Duas pessoas que estão juntas, e que se querem
bem, precisam de acertar os seus ponteiros, com paciência e perseverança, com jogos e representações "tea-
trais", até entenderem que fazer amor é muito mais do
que um encontro; é um "abraço" das partes genitais.*

Tudo tem importância. Uma pessoa que vive intensamente a sua vida tem prazer e não sente a falta de sexo. Quando ela faz sexo, é por abundância, porque o copo de vinho está tão cheio que transborda naturalmente, porque é absolutamente inevitável, porque ela aceita o apelo da vida porque nesse momento, apenas nesse momento, ela consegue perder o controlo.

P. S.: Acabo de reler o que escrevi. Meu Deus, acho que estou a ficar demasiado intelectual!!!

Pouco depois de ter escrito isto, e quando se preparava para mais uma noite de Mãe Carinhosa ou Menina Ingénua, a porta do "Copacabana" abriu-se e entrou Terence, o executivo da gravadora de discos, um dos clientes especiais.

Milan, atrás do bar, pareceu satisfeito: a rapariga não o tinha decepcionado. Maria lembrou-se imediatamente das palavras que diziam tantas coisas, e ao mesmo tempo não diziam nada: "dor, sofrimento, e muito prazer".

– Vim de Londres especialmente para a ver. Pensei muito em si.

Ela sorriu, tentando fazer com que o seu sorriso não fosse um encorajamento. Mais uma vez, ele não seguiu o ritual, não a convidou para nada – apenas se sentou à mesa.

– Quando se faz uma pessoa descobrir qualquer coisa, o professor também acaba por descobrir algo novo.

– Sei do que está a falar – respondeu Maria, lembrando-se de Ralf Hart, e irritando-se com a sua própria lembrança. Estava diante de outro cliente, precisava de o respeitar e fazer o possível por o satisfazer.

– Quer ir adiante?

Mil francos. Um universo escondido. Um patrão que a olhava. A certeza de que poderia parar quando quisesse. A data marcada para regressar ao Brasil. Um outro homem, que não aparecia nunca.

– Está com pressa? – perguntou Maria.

Ele disse que não. O que queria ela?

– Quero o meu *drink*, a minha dança, o respeito pela minha profissão.

Ele hesitou durante alguns minutos, mas fazia parte do teatro dominar e ser dominado. Pagou o *drink*, dançou, pediu um táxi, entregou-lhe o dinheiro enquanto atravessavam a cidade, e foram para o mesmo hotel. Entraram, ele cumprimentou o porteiro italiano da mesma maneira que fizera na noite em que se conheceram e subiram para o mesmo quarto com vista para o rio.

Terence acendeu um fósforo, e só então Maria se deu conta de que havia dezenas de velas espalhadas. Ele começou a acendê-las.

– O que quer saber? Por que sou assim? Porque, se não me engano, você adorou a noite que passámos juntos. Quer saber por que você também é assim?

– Estou a pensar que no Brasil temos a superstição de não acender mais de três coisas com o mesmo fósforo. E você não está a respeitar isso.

Ele ignorou o comentário.

– Você é como eu. Não está aqui pelos 1000 francos, mas pelo sentimento de culpa, de dependência, pelos seus complexos e a sua insegurança. E isso não é bom nem mau, é a natureza humana.

Pegou no controlo remoto da televisão, e mudou várias vezes de canal, até parar num noticiário, em que refugiados procuravam escapar de uma guerra.

– Está a ver isto? Já viu os programas em que as pessoas vão discutir os seus problemas pessoais diante de toda a gente? Já foi a uma banca de jornais e viu as manchetes? Enfim, o mundo alegra-se no sofrimento e na dor. Sadismo ao olhar, masoquismo ao concluir que não precisamos de saber tudo isso para sermos felizes, e mesmo assim assistimos à tragédia alheia, e às vezes sofremos com ela.

Ele serviu outros dois copos de champanhe, desligou a televisão, e continuou a acender as velas.

– Repito: é a condição humana. Desde que fomos expulsos do paraíso, ou sofremos, ou fazemos alguém sofrer, ou observamos o sofrimento dos outros. É incontrolável.

Começaram a ouvir o barulho de trovões lá fora, uma gigantesca tempestade aproximava-se.

– Mas eu não consigo – disse Maria. – Parece-me ridículo achar que você é o meu mestre e eu sou sua escrava. Não precisamos de nenhuma espécie de "teatro" para nos encontrarmos com o sofrimento; a vida já nos oferece muitas oportunidades.

Terence tinha acabado de acender todas as velas. Pegou numa delas, colocou-a no centro da mesa, tornou a servir champanhe e caviar. Maria bebia depressa, pensando nos 1000 francos que já estavam na sua carteira, no desconhecido que a fascinava e amedrontava, na maneira de controlar o seu pavor. Sabia que, com aquele homem, uma noite nunca era igual a outra, não podia ameaçá-lo.

– Sente-se.

A voz alternava entre doce e autoritária. Maria obedeceu, e uma onda de calor percorreu-lhe o corpo; aquela ordem era-lhe familiar, ela sentia-se mais segura.

"Teatro. Preciso de entrar na peça de teatro."

Era bom receber ordens. Não precisava de pensar, apenas de obedecer. Pediu mais champanhe, ele trouxe-lhe *vodka*; subia mais rapidamente, libertava com mais facilidade, combinava mais com o caviar.

Abriu a garrafa. Maria bebeu-a praticamente sozinha, enquanto ouvia os trovões lá fora. Tudo colaborava para o momento perfeito, como se a energia dos céus e da terra mostrassem também o seu lado violento.

Num dado momento, Terence tirou uma pequena maleta do armário, e colocou-a sobre a cama.

— Não se mexa.

Maria ficou imóvel. Ele abriu a maleta, e tirou dois pares de algemas de metal cromado.

— Sente-se de pernas abertas.

Ela obedeceu. Impotente por escolha, submissa porque assim desejava. Percebeu que ele olhava por entre as suas pernas, podia ver as cuecas pretas, as meias altas, as coxas, podia imaginar os cabelos, o sexo.

— Ponha-se de pé!

Ela saltou da cadeira. O seu corpo equilibrou-se a custo, e viu que estava mais embriagada do que pensara.

— Não olhe para mim. Baixe a cabeça, respeite o seu amo!

Antes que pudesse baixar a cabeça, viu um chicote fino a ser retirado da mala e a estalar no ar – como se tivesse vida própria.

— Beba. Mantenha a cabeça baixa, mas beba.

Entornou mais um, dois, três copos de *vodka*. Agora não era apenas teatro, mas a realidade da vida: não tinha controlo. Sentia-se um objecto, um simples instrumento, e, por incrível que pareça, aquela submissão dava-lhe a sensação de liberdade absoluta. Não era mais a mestra, a que ensina, a que consola, a que escuta as confissões, a que excita; era apenas a menina do interior do Brasil face ao poder colossal do homem.

– Dispa a roupa.

A ordem veio seca, sem desejo – e, no entanto, não podia ser mais erótico. Mantendo a cabeça baixa em sinal de reverência, Maria desabotoou o vestido, e deixou que este escorregasse até ao chão.

– Você não está a comportar-se bem, sabia?

De novo, o chicote estalou no ar.

– Precisa de ser castigada. Uma menina da sua idade, como ousa contrariar-me? Você devia estar de joelhos diante de mim!

Maria fez menção de se ajoelhar, mas o chicote interrompeu-a; pela primeira vez tocava na sua carne – nas nádegas. Ardia, mas parecia não deixar marcas.

– Eu não lhe disse para se ajoelhar. Disse?

– Não.

O chicote tocou outra vez nas suas nádegas.

– Diga "Não, meu senhor".

E mais uma chibatada. Mais ardor. Por uma fracção de segundo, ela pensou que podia parar com aquilo tudo imediatamente; ou também podia escolher ir até ao fim, não pelo dinheiro, mas pelo que ele dissera na primeira vez – um ser humano só se conhece quando vai até aos seus limites.

E aquilo era novo; era a Aventura, podia decidir mais tarde se gostaria de continuar, mas naquele instante ela deixou de ser a rapariga que tem três objectivos na vida, que ganhava dinheiro com o seu corpo, que conhecera um homem com uma lareira e histórias interessantes para contar. Ali, ela não era ninguém – e, por não ser ninguém, era tudo o que sonhava.

– Dispa toda a roupa. E ande de um lado para o outro, para que eu possa vê-la.

Mais uma vez obedeceu, mantendo a cabeça baixa, sem dizer uma só palavra. O homem que a olhava estava vestido, impassível, não era a mesma pessoa com quem tinha vindo a conversar desde a *boîte* – era um Ulisses que vinha de Londres, um Teseu que chegava do céu, um sequestrador que invadia a cidade mais segura do mundo, e o coração mais fechado da Terra. Tirou as cuecas, o *soutien*, sentiu-se indefesa e protegida ao mesmo tempo. O chicote estalou de novo no ar, desta vez sem tocar no seu corpo.

– Mantenha a cabeça baixa! Você está aqui para ser humilhada, para ser submetida a tudo o que eu desejar, entende?

– Sim, senhor.

Ele agarrou nos seus braços, e colocou o primeiro par de algemas nos seus pulsos.

– E vai apanhar muito. Até aprender a comportar-se.

Com a mão aberta, deu-lhe uma palmada nas nádegas. Maria gritou, desta vez tinha doído.

– Ah, e protesta, não é? Pois vai ver o que é bom.

Antes que ela pudesse reagir, uma mordaça de couro tapava-lhe a boca. Não a impedia de falar, podia dizer "amarelo" ou "vermelho", mas sentia que era o seu destino deixar que aquele homem fizesse dela o que quisesse, e não tinha maneira de escapar dali. Estava nua, amordaçada, algemada, a *vodka* corria no lugar do sangue.

Outra palmada nas nádegas.

– Ande de um lado para o outro!

Maria começou a andar, obedecendo às ordens "pare", "volte-se para a direita", "sente-se", "abra as pernas". Uma vez por outra, mesmo sem qualquer motivo, levava uma palmada, e sentia a dor, sentia a humilhação – que era mais poderosa e forte que a dor – e sentia-se noutro mundo, onde não existia mais nada, e isso era uma sensação quase religiosa, anular-se por completo, servir, perder a ideia do Ego, dos desejos, da própria vontade. Estava completamente molhada, excitada, sem compreender o que acontecia.

– Ponha-se de novo de joelhos!

Como mantinha sempre a cabeça baixa, em sinal de obediência e humilhação, Maria não podia ver com exactidão o que se passava; mas notava que, num outro universo, num outro planeta, aquele homem estava ofegante, cansado de estalar o chicote e bater-lhe nas nádegas com a palma da mão aberta, enquanto ela se sentia cada vez mais cheia de força e de energia. Agora tinha perdido a vergonha, e não se importava de mostrar que estava a gostar, começou a gemer, pediu que ele a tocasse no sexo, mas o homem, em vez disso, agarrou-a, e atirou-a para cima da cama.

Com violência – mas ela sabia que era uma violência que não ia causar-lhe mal nenhum – abriu-lhe as pernas, e amarrou cada uma delas a um dos lados da cama. As mãos algemadas nas costas, as pernas abertas, a mordaça na boca, quando iria ele penetrá-la? Não via que ela já estava pronta, que queria servi-lo, era sua escrava, seu animal, seu objecto, faria qualquer coisa que ele mandasse?

– Você gostaria que eu a rebentasse toda?

Ela viu que ele encostava o cabo do chicote ao seu sexo. Esfregou-o de cima a baixo, e quando tocou no seu clitóris, ela perdeu o controlo. Não sabia há quanto tempo estavam ali, não imaginava quantas vezes tinha sido espancada, mas de repente veio o orgasmo, o orgasmo que dezenas, centenas de homens, em todos aqueles meses, nunca conseguiram despertar. Uma luz explodiu, ela sentia que entrava numa espécie de buraco negro na sua própria alma, onde a dor intensa e o medo se misturavam com o prazer total, aquilo empurrava-a para além de todos os limites que conhecera, e Maria gemeu, gritou com a voz sufocada pela mordaça, sacudiu-se na cama, sentindo que as algemas lhe cortavam os pulsos e as tiras de couro lhe magoavam os tornozelos, mexeu-se como nunca, justamente porque não podia mexer-se, gritou como nunca tinha gritado, porque tinha uma mordaça na boca e ninguém podia ouvi-la. Aquilo era a dor e o prazer, o cabo do chicote pressionando o clitóris cada vez mais fortemente, e o orgasmo saindo-lhe pela boca, pelo sexo, pelos poros, pelos olhos, por toda a sua pele.

Entrou numa espécie de transe, e pouco a pouco foi descendo, descendo, já não tinha o chicote entre as pernas, apenas os cabelos molhados pelo suor abundante, e mãos carinhosas que lhe tiravam as algemas e lhe desatavam as tiras de couro dos pés.

Ela ficou ali deitada, confusa, incapaz de olhar o homem, porque estava com vergonha de si mesma, dos seus gritos, do seu orgasmo. Ele acariciava-lhe os cabelos, e também arfava – mas o prazer tinha sido exclusivamente seu; ele não tivera nenhum momento de êxtase.

O seu corpo nu abraçou aquele homem completamente vestido, exausto de tantas ordens, tantos gritos, tanto controlo da situação. Agora não sabia o que dizer, como continuar, mas estava segura, protegida, porque ele a convidara a descobrir uma parte sua que não conhecia, era seu protector e seu mestre.

Começou a chorar, e ele pacientemente esperou que terminasse.

– O que me fez? – perguntou entre lágrimas.

– O que você queria que eu fizesse.

Ela olhou-o, e sentiu que precisava desesperadamente dele.

– Eu não a forcei, não a obriguei, e não a ouvi dizer: "amarelo"; o meu único poder era o que você me dava. Não existia qualquer tipo de obrigação, de chantagem, existia apenas a sua vontade; embora você fosse a escrava e eu fosse o senhor, o meu único poder era empurrá-la em direcção à sua própria liberdade.

Algemas. Tiras de couro nos pés. Mordaça. Humilhação, que era mais forte e mais intensa que a dor. Mesmo assim – ele tinha razão –, a sensação era de total liberdade. Maria estava cheia de energia, de vigor, e surpreendida ao notar que o homem ao seu lado estava exausto.

– Você chegou ao orgasmo?

– Não – disse ele. – O senhor está ali para forçar o escravo. O prazer do escravo é a alegria do senhor.

Nada daquilo fazia sentido, porque não é o que contam as histórias, não é assim na vida real. Mas ali era um mundo de fantasia, ela estava cheia de luz, e ele parecia opaco, exaurido.

– Pode ir quando quiser – disse Terence.

– Não quero ir, quero entender.

– Não há nada para entender.

Ela levantou-se, na beleza e intensidade da sua nudez, e serviu duas taças de vinho. Acendeu dois cigarros, e deu-lhe um – os papéis tinham-se invertido, era a senhora que servia o escravo, recompensando-o pelo prazer que ele lhe dera.

– Vou vestir-me, e vou-me embora. Mas gostaria de falar um pouco.

– Não há de que falar. Era isso o que eu queria, e você foi maravilhosa. Estou cansado, tenho de voltar amanhã para Londres.

Ele deitou-se e fechou os olhos. Maria não sabia se ele fingia dormir, mas isso não tinha importância; fumou o cigarro com prazer, bebeu lentamente o copo de vinho com o rosto colado à janela, olhando o lago em frente e desejando que alguém, na outra margem, a visse assim – nua, plena, satisfeita, segura.

Vestiu-se, saiu sem dizer adeus, e sem se importar se abria ou não a porta, porque não tinha a certeza se queria voltar.

Terence ouviu a porta bater, esperou para ver se ela não voltava dizendo que se tinha esquecido de alguma coisa, e só passados alguns minutos se levantou, e acendeu outro cigarro.

A rapariga tinha estilo, pensou. Soubera aguentar o chicote, embora esse fosse o mais comum, o mais velho, e o menor de todos os suplícios. Por um momento, lembrou-se da primeira vez em que experimentara essa misteriosa relação entre dois seres que desejam aproximar-se, mas só o conseguem infligindo sofrimento aos outros.

Lá fora, milhões de casais praticavam, sem se darem conta, todos os dias, a arte do sadomasoquismo. Iam para o trabalho, voltavam, protestavam contra tudo, agrediam ou eram agredidos pela mulher, sentiam-se miseráveis – mas profundamente ligados à própria infelicidade, sem saberem que bastava um gesto, um "até nunca mais" para se libertarem da opressão. Terence experimentara isso com a sua primeira mulher, uma famosa cantora inglesa; vivia torturado pelos ciúmes, fazendo cenas, passando dias sob o efeito de calmantes, e noites embriagado. Ela amava-o, não percebia por que é que ele agia assim, ele amava-a – e tão-pouco percebia o seu próprio comportamento. Mas era como se a agonia que um infligia ao outro fosse necessária, fundamental para a vida.

Certa vez, um músico – que ele considerava muito estranho, porque parecia demasiado normal naquele meio de gente exótica – esqueceu-se de um livro no estúdio. *A Vénus Castigadora* de Leopold Von Sacher-Masoch. Terence começou a folheá-lo, e à medida que lia compreendia-se melhor a si mesmo:

«*A linda mulher despiu-se, e pegou num longo chicote, com um pequeno cabo, que prendeu ao pulso. "Tu pediste" disse ela. "Então vou chicotear-te." "Fá-lo", sussurrou o seu amante. "Imploro-te."*

A sua mulher estava do outro lado do vidro do estúdio, ensaiando. Tinha pedido que desligasse o microfone que permitia aos técnicos ouvirem tudo. Terence pensava que talvez estivesse a marcar um encontro com o pianista, e deu-se conta: ela levava-o à loucura – mas parecia que já se tinha habituado a sofrer, e não podia viver sem aquilo.

"Vou chicotear-te", dizia a mulher despida, no romance que tinha em mãos. *"Fá-lo, imploro-te."*

Era bonito, era poderoso na empresa discográfica, por que precisava de se sujeitar àquela vida?

Porque gostava. Merecia sofrer muito, já que a vida tinha sido muito boa para ele, e não era digno de todas aquelas bênçãos – dinheiro, respeito, fama. Achava que a sua carreira o levava a um ponto em que passaria a depender do sucesso, e aquilo assustava-o, porque já tinha visto muita gente cair das alturas.

Leu o livro. Começou a ler tudo o que lhe caía nas mãos a respeito da misteriosa ligação entre a dor e o prazer. A mulher descobriu os vídeos que alugava, os livros que escondia, perguntou-lhe o que era aquilo, se ele estava doente. Terence respondeu que não, era uma pesquisa para o visual de um novo trabalho que ela devia fazer. E sugeriu, como quem não quer nada:

"Talvez devêssemos experimentar."

Experimentaram. No início, muito timidamente, baseados apenas nos manuais que encontravam nas lojas pornográficas. A pouco e pouco foram desenvolvendo novas técnicas, indo até aos limites, correndo riscos – mas sentindo que o casamento estava cada vez mais sólido. Eram cúmplices em algo secreto, proibido, condenado.

A experiência dos dois transformou-se em arte: criaram novos figurinos, couro e tachas de metal. A mulher entrava em cena com um chicote, ligas, botas, e levava a plateia ao delírio. O novo disco saltou para o primeiro lugar das tabelas de sucessos em Inglaterra, e dali seguiu uma carreira vitoriosa por toda a Europa. Terence surpreendia-se ao ver como a juventude aceitava os seus delírios pessoais com tanta naturalidade, e a única explicação era que desta maneira a violência contida podia manifestar-se de forma intensa – mas inofensiva.

O chicote passou a ser o símbolo do grupo, começou a ser reproduzido em *t-shirts*, tatuagens, autocolantes, bilhetes-postais. A formação intelectual de Terence fê-lo buscar a origem de tudo daquilo, de modo a poder compreender-se melhor a si mesmo.

Não eram, como dissera à prostituta no seu encontro, os penitentes que procuravam afastar a peste negra. Desde a noite dos tempos, o homem entendera que o sofrimento, uma vez encarado sem temor, era o seu passaporte para a liberdade.

Egipto, Roma e Pérsia já tinham a noção de que, se um homem se sacrifica, ele salva o seu país e o seu mundo. Na China, se acontecia uma catástrofe natural, o imperador era castigado, por ser ele o representante da divindade na Terra. Os melhores guerreiros de Esparta, na antiga Grécia, eram chicoteados uma vez por ano, de manhã até à noite, em homenagem à deusa Diana – enquanto a multidão gritava palavras de incentivo, pedindo-lhes que aguentassem a dor com dignidade, pois ela prepará-los-ia para o mundo das guerras. No fim do dia, os sacerdotes examinavam as feridas deixadas nas costas dos guerreiros, e através delas previam o futuro da cidade.

Os padres do deserto, uma antiga comunidade cristã do século IV, que se reunia à volta de um mosteiro em Alexandria, usavam a flagelação como meio de afastar os demónios ou demonstrar a inutilidade do corpo durante a busca espiritual. A história dos santos estava cheia de exemplos – Santa Rosa corria pelo jardim, enquanto os espinhos feriam a sua carne, São Domingos Loricatus chicoteava-se regularmente todas as noites antes de dormir, os mártires entregavam-se voluntariamente à lenta morte na cruz ou nos dentes de animais selvagens. Todos diziam que a dor, uma vez superada, era capaz de levar ao êxtase religioso.

Estudos recentes, não confirmados, indicavam que um certo tipo de fungos com propriedades alucinogénias se desenvolvia nas feridas, o que causava as visões. O prazer parecia ser tanto que a prática rapidamente deixou os conventos e começou a ganhar o mundo.

Em 1718, foi publicado o *Tratado de Autoflagelação*, que ensinava a descobrir o prazer através da dor, mas sem causar danos ao corpo. No fim daquele século, existiam dezenas de lugares em toda a Europa onde as pessoas sofriam para chegar à alegria. Há registos de reis e princesas que se faziam flagelar pelos seus escravos, até descobrirem que o prazer estava não apenas em sentir a dor, mas também em infligir a dor – embora fosse mais exaustivo, e menos gratificante.

Enquanto fumava o cigarro, Terence pensava que talvez as pessoas que nunca tivessem experimentado a dor directamente não pudessem compreender o seu pensamento.

Melhor assim: pertencer a um clube fechado, a que só os eleitos têm acesso. Lembrou-se de novo como o tormento de ser casado se transformou na maravilha de ser casado. A sua mulher sabia que visitava Genève com este propósito, e não se importava – pelo contrário, neste mundo doente, ela ficava feliz por o seu marido conseguir a recompensa que desejava depois de uma semana de trabalho árduo.

A rapariga que acabava de sair do quarto tinha entendido tudo. Sentia que a sua alma estava próxima da dela, embora não estivesse ainda pronto para se apaixonar, porque amava a sua mulher. Mas gostou de pensar que era livre para sonhar com um novo relacionamento.

Faltava apenas fazê-la experimentar o mais difícil: transformá-la na Vénus Flageladora, na Dominatrix, na Senhora, capaz de humilhar e punir sem piedade. Se passasse na prova, estava pronto a abrir o seu coração, e a deixá-la entrar.

Do Diário de Maria, ainda embriagada pela vodka e pelo prazer:

Quando eu não tive nada a perder, eu tive tudo. Quando deixei de ser quem era, encontrei-me a mim mesma.

Quando conheci a humilhação e a submissão total, fui livre. Não sei se estou doente, se tudo aquilo foi um sonho, ou se acontece apenas uma vez. Sei que posso viver sem isso, mas gostaria de me encontrar com ele de novo, de repetir a experiência, de ir mais longe do que fui.

Estava um pouco assustada com a dor, mas ela não era tão forte quanto a humilhação — era apenas um pretexto. No momento em que tive o primeiro orgasmo em muitos meses, apesar dos muitos homens e das muitas coisas diferentes que fizeram com o meu corpo, senti-me — será que isso é possível? — mais perto de Deus. Lembrei-me do que ele disse a respeito da peste negra, do momento em que os flageladores, ao oferecerem a sua dor pela salvação da Humanidade, encontravam nela o prazer. Eu não queria salvar a Humanidade, ou a ele, ou a mim mesma; estava apenas ali.

A arte do sexo é a arte de controlar o descontrolo.

Não era teatro, estavam realmente na estação de comboios, a pedido de Maria, que gostava de uma *pizza* que só ali encontrava. Não fazia mal ser um pouco caprichosa. Ralf devia ter aparecido um dia antes, quando ainda era uma mulher em busca de amor, lareira, vinho, desejo. Mas a vida escolhera de maneira diferente, e hoje passara o dia inteiro sem precisar de fazer o seu exercício de se concentrar nos sons e no presente, simplesmente porque não pensara nele, tinha descoberto coisas que lhe interessavam mais.

O que fazer com o homem ao seu lado, comendo uma *pizza* de que talvez não gostasse, apenas para passar o tempo e aguardar o momento de irem para sua casa? Quando ele entrara na *boîte* e lhe oferecera um *drink*, Maria pensara dizer-lhe que já não tinha mais interesse, que procurasse outra pessoa; por outro lado, tinha uma imensa necessidade de conversar com alguém sobre a noite anterior.

Tentara com uma ou outra prostituta que também servia os "clientes especiais", mas nenhuma lhe dera aten-

ção, porque Maria era esperta, aprendia rapidamente, tinha-se transformado na grande ameaça do "Copacabana."
Ralf Hart, de todos os homens que conhecia, era talvez o
único que podia compreender, pois Milan considerava-o
um "cliente especial". Mas ele via-a com olhos iluminados de amor, e isso tornava as coisas mais difíceis, era melhor não dizer nada.

– O que sabes sobre dor, sofrimento, e muito prazer?
Mais uma vez, ela não tinha conseguido controlar-se.
Ralf parou de comer a *pizza*.

– Sei tudo. E não me interessa.

A resposta viera rápida, e Maria ficou chocada. Então, toda a gente sabia tudo, menos ela? Que mundo era
aquele, meu Deus?

– Conheci os meus demónios e as minhas trevas –
continuou Ralf. – Fui até ao fim, experimentei tudo, não
apenas nessa área, mas em muitas outras. Porém, na última noite em que nos encontrámos, atingi os meus limites
através do desejo, e não da dor. Mergulhei no fundo da
minha alma, e sei que ainda quero coisas boas, muitas
coisas boas desta vida.

Teve vontade de dizer: "Uma delas és tu, por favor,
não sigas esse caminho." Mas não teve coragem; em vez
disso, chamou um táxi e pediu que os levasse à margem
do lago – onde, uma eternidade antes, tinham andado
juntos no dia em que se conheceram. Maria estranhou o
pedido, ficou silenciosa – o seu instinto dizia-lhe que tinha muito a perder, embora a sua mente ainda estivesse
embriagada com o que acontecera na noite anterior.

Só acordou da sua passividade quando chegaram ao
jardim à beira do lago; embora ainda fosse Verão, já começava a estar muito frio durante a noite.

– O que fazemos aqui? – perguntou, quando saíram do táxi. – Está vento, vou constipar-me.

– Estive a pensar muito sobre o teu comentário na estação de comboios. Sofrimento e prazer. Tira os sapatos.

Ela lembrou-se de que, certa vez, um dos seus fregueses lhe pedira a mesma coisa, e ficara excitado apenas por olhar os seus pés. Será que a Aventura não a deixava em paz?

– Vou apanhar uma constipação – insistiu.

– Faz o que te digo – insistiu ele novamente. – Não vais apanhar nenhuma constipação, se não demorarmos muito. Acredita em mim, como eu acredito em ti.

Sem nenhuma razão aparente, Maria percebeu que ele queria ajudá-la; talvez porque já tivesse bebido de uma água muito amarga, e achava que ela corria o mesmo risco. Não queria ser ajudada; estava contente com o seu novo mundo, onde descobria que o sofrimento já não era um problema. Porém, pensou no Brasil, na impossibilidade de encontrar um parceiro para partilhar esse universo diferente, e como o Brasil era mais importante do que tudo na sua vida, ela tirou os sapatos. O chão estava cheio de pequenas pedras, que lhe rasgaram logo as suas meias – mas isso não tinha importância, compraria outras.

– Tira o casaco.

Ela podia ter dito que "não", mas, desde a noite anterior, habituara-se à alegria de poder dizer "sim" a tudo o que estava no seu caminho. Tirou o casaco, o corpo ainda quente não reagiu logo, mas a pouco e pouco o frio começou a incomodá-la.

– Vamos andar. E vamos conversar.

– Aqui é impossível; o chão está cheio de pedras.

– Justamente por isso; quero que sintas as pedras, quero que te provoquem dor, que te magoem, porque deves ter experimentado – assim como eu experimentei – o sofrimento aliado ao prazer, e preciso de arrancar isso da tua alma.

Maria sentiu vontade de dizer: "Não precisas, eu gosto." Mas começou a caminhar sem pressa, a planta dos pés começaram a arder, com o frio e as pontas das pedras.

– Uma das minhas exposições levou-me ao Japão, justamente quando eu estava totalmente envolvido naquilo a que chamaste "sofrimento, humilhação, e muito prazer". Naquele período, eu achava que não havia um caminho de volta, que iria cada vez mais fundo, e nada mais restava na minha vida excepto a vontade de punir e de ser punido.

»Afinal, somos seres humanos, nascemos cheios de culpa, temos medo quando a felicidade se transforma em algo possível, e morremos querendo castigar os outros porque sempre nos sentimos impotentes, injustiçados, infelizes. Pagar os seus pecados, e poder castigar os pecadores – ah, isso não é uma delícia? Sim, é óptimo.

Maria andava, a dor e o frio quase a impediam de prestar atenção às suas palavras, mas ela esforçava-se.

– Hoje reparei nas marcas nos teus pulsos.

As algemas. Tinha colocado várias pulseiras para disfarçar, no entanto, os olhos habituados sabem sempre o que procurar.

– Enfim, se tudo aquilo que experimentaste recentemente te leva a dar esse passo, não sou eu que te vou impedir; mas nada disso tem relação com a verdadeira vida.

– Passo?

– Dor e prazer. Sadismo e masoquismo. Chama-lhe o que quiseres, mas se estiveres convencida de que esse é o teu caminho, sofrerei, lembrar-me-ei do desejo, dos encontros, do passeio pelo caminho de Santiago, da tua luz. Terei guardado num lugar especial uma caneta, e cada vez que acender aquela lareira lembrar-me-ei de ti. Porém, não te procurarei mais.

Maria sentiu medo, achou que era altura de recuar, de dizer a verdade, deixar de fingir que sabia mais do que ele.

– O que experimentei recentemente – melhor dizendo, ontem – nunca tinha experimentado. E assusta-me que, no limite da degradação, pudesse encontrar-me a mim mesma.

Era difícil continuar a conversar – os dentes batiam de frio, e os pés doíam-lhe muito.

– Na minha exposição, numa região chamada Kumano, apareceu um lenhador – continuou Ralf, como se não tivesse ouvido. – Não gostou dos meus quadros, mas foi capaz de decifrar, através da pintura, o que eu estava a viver e a sentir. No dia seguinte, procurou-me no hotel, e perguntou-me se eu estava contente; se estivesse, devia continuar a fazer aquilo de que gostava. Se não estivesse, devia acompanhá-lo e passar uns dias com ele.

»Fez-me andar sobre as pedras, como estou a fazer contigo agora. Fez-me sentir frio. Obrigou-me a compreender a beleza da dor, só que era uma dor aplicada pela Natureza, não pelo homem. Chamava a isso *Shugen-do*, uma prática milenar.

»Disse-me que era um homem que não tinha medo da dor, e isso era bom, porque, para dominares a alma, tens de aprender também a dominar o corpo. Disse-me também que eu estava a usar a dor de maneira errada, e isso era muito mau.

»Aquele lenhador ignorante achava que me conhecia melhor do que eu me conhecia a mim mesmo, e isso irritava-me, ao mesmo tempo que me deixava orgulhoso ao saber que os meus quadros eram capazes de expressar exactamente o que eu sentia.

Maria sentiu que uma pedra mais pontiaguda lhe cortara o pé, mas o frio era mais forte, o seu corpo estava a ficar dormente, e não conseguia acompanhar as palavras de Ralf Hart. Por que só tinham os homens, neste mundo santo de Deus, interesse em lhe mostrar a dor? A dor sagrada, a dor com prazer, a dor com explicações ou sem explicações, mas era sempre dor, dor...

O pé ferido tocou noutra pedra, ela reprimiu o grito, e continuou. No início, tinha procurado manter a sua integridade, o seu autodomínio, aquilo a que ele chamava "luz". Mas agora andava devagar, enquanto o seu estômago e o seu pensamento davam voltas: pensou em vomitar. Pensou em parar, nada daquilo fazia sentido, e não parou.

Não parou por respeito a si mesma; podia aguentar aquela caminhada descalça pelo tempo que fosse necessário, porque ela não ia durar toda a sua vida. E de repente outro pensamento cruzou o espaço: e se não pudesse ir ao "Copacabana" no dia seguinte, por causa de um sério problema nos pés, ou por uma febre causada pela gripe que, tinha a certeza, ia instalar-se no seu corpo pouco agasalhado? Pensou nos fregueses que a esperavam, em Milan que confiava tanto nela, no dinheiro que deixaria de ganhar, na fazenda, nos pais orgulhosos. Mas o sofrimento logo afastou qualquer tipo de reflexão, e ela colocava um pé diante do outro, louca por que Ralf Hart reconhecesse o seu esforço, e lhe dissesse que bastava, podia calçar os sapatos.

Porém, ele parecia indiferente, longe, como se aquela fosse a única maneira de a livrar de algo que não conhecia, que a seduzia, mas que acabaria por deixar marcas mais fundas do que as das algemas. Embora sabendo que ele tentava ajudá-la, e por mais que se esforçasse para ir em frente e mostrar a luz da sua força de vontade, a dor não a deixava ter pensamentos profanos ou nobres – era apenas dor, que ocupava todo o espaço, a assustava, e a obrigava a pensar que tinha um limite, e que não iria conseguir.

Mas deu um passo.

E outro.

A dor agora parecia invadir-lhe a alma, e enfraquecê-la espiritualmente, porque uma coisa é fazer um pouco de teatro num hotel de cinco estrelas, nua, com *vodka*, caviar, e um chicote entre as pernas; outra coisa é estar ao frio, descalça, com pedras a cortar-lhe os pés. Estava desorientada, não conseguia trocar uma só palavra com Ralf Hart, tudo o que existia no seu universo eram as pedras pequenas e cortantes que marcam o trilho por entre as árvores.

Então, quando pensava que ia desistir, um estranho sentimento invadiu-a: tinha atingido o seu limite, e além dele estava um espaço vazio onde parecia flutuar acima de si mesma, e ignorar o que sentia. Seria esta a sensação que os penitentes experimentavam? Na outra extremidade da dor, descobria uma porta para um nível diferente de consciência, e já não havia espaço para mais nada, apenas para a Natureza implacável – e para ela mesma, invencível.

Tudo à sua volta se transformou num sonho: o jardim mal iluminado, o lago escuro, o homem em silêncio, um casal ou outro que passeava, sem perceber que ela estava descalça, a andar com dificuldade. Não sabia se era o frio ou o sofrimento, mas de repente deixou de sentir o corpo, entrou num estado em que não há qualquer desejo ou medo, apenas uma misteriosa – como poderia chamar-lhe? – uma misteriosa "paz". O limite da dor não era o seu limite; podia ir além dele.

Pensou em todos os seres humanos que sofriam sem pedir, e ali estava ela, provocando o seu próprio sofrimento – mas aquilo não lhe importava mais, tinha ultrapassado as barreiras do corpo, e agora restava-lhe apenas a alma, a "luz", uma espécie de vazio – a que alguém, um dia, chamou Paraíso. Existem certos sofrimentos que só podem ser esquecidos quando conseguimos flutuar acima das nossas dores.

A próxima coisa de que se lembrou foi de Ralf a pegar-lhe ao colo, tirando o seu casaco, e colocando-a contra o seu ombro. Devia ter desmaiado de frio, mas pouco lhe importava; estava contente, não tinha medo – tinha vencido. Não se humilhara perante aquele homem.

Os minutos transformaram-se em horas, ela devia ter adormecido nos seus braços, porque, quando acordou, embora ainda fosse noite, estava num quarto com um aparelho de televisão a um canto, e mais nada. Branco, vazio.

Ralf apareceu com um chocolate quente.

– Tudo bem – disse ele. – Chegaste onde devias chegar.

– Não quero chocolate; quero vinho. E quero descer para o nosso lugar, para junto da lareira, com os livros espalhados por todos os lados.

Tinha dito "nosso lugar." Não era o que tinha planeado.

Olhou para os seus pés; fora um pequeno corte, havia apenas marcas vermelhas, que deviam desaparecer em algumas horas. Com uma certa dificuldade, desceu as escadas sem prestar muita atenção a nada; foi para o seu canto, no tapete ao lado da lareira – descobrira que sempre que estava ali se sentia bem, com se fosse o seu "sítio", o seu lugar naquela casa.

– O tal lenhador disse-me que, quando se faz um certo tipo de exercício físico, quando se exige tudo do seu corpo, a mente ganha uma força espiritual estranha, que tem a ver com a "luz" que vi em ti. O que sentiste?

– Que a dor é amiga da mulher.

– Esse é o perigo.

– Que a dor tem um limite.

– Essa é a salvação. Não te esqueças disso.

A mente de Maria ainda estava confusa; experimentava a tal "paz" de quando fora além dos seus limites. Ele mostrara-lhe um outro tipo de sofrimento, e também esse lhe dera um estranho prazer.

Ralf pegou numa grande pasta, e abriu-a à sua frente. Eram desenhos.

– A história da prostituição. Foi o que tu me pediste, quando nos encontrámos.

Sim, tinha pedido, mas era apenas uma maneira de passar o tempo, de tentar ser interessante. Não tinha a menor importância agora.

– Durante todos estes dias, naveguei num mar desconhecido. Não achei que houvesse uma história, pensava apenas que era a profissão mais antiga do mundo, como dizem as pessoas. Mas existe uma história; melhor dizendo, duas histórias.

– E estes desenhos?

Ralf Hart pareceu um pouco decepcionado porque ela não o compreendia, mas logo se controlou e continuou.

– São as coisas que escrevi enquanto lia, pesquisava, aprendia.

– Falaremos disso noutro dia; hoje não quero mudar de assunto, preciso de entender a dor.

– Sentiste-a ontem, e descobriste que ela te conduzia ao prazer. Sentiste-a hoje, e encontraste a paz. Por isso, aviso-te: não te habítues, porque é muito fácil poder viver com ela, é uma droga poderosa. Está no nosso quotidiano, no sofrimento escondido, na renúncia que fazemos, e culpamos o amor pela derrota dos nossos sonhos. A dor assusta quando mostra a sua verdadeira face, mas é sedutora quando está vestida de sacrifício, renúncia. Ou cobardia. O ser humano, por mais que a rejeite, encontra sempre um meio de estar com ela, de a cortejar, de fazer com que faça parte da sua vida.

– Não acredito. Ninguém deseja sofrer.

– Se conseguires entender que se pode viver sem sofrimento, já é um grande passo – mas não penses que as outras pessoas te irão compreender. Sim, ninguém deseja sofrer, e mesmo assim quase todos procuram a dor, o sacrifício, e se sentem justificados, puros, merecedores do respeito dos filhos, dos maridos, dos vizinhos, de Deus. Não pensemos nisso agora, fica a saber apenas que o que move o mundo não é a busca do prazer, mas da renúncia a tudo o que é importante.

»O soldado vai para a guerra matar o inimigo? Não: vai morrer pelo seu país. A mulher gosta de mostrar ao marido o quanto está contente? Não: quer que ele veja o quanto se dedica, o quanto sofre para o ver feliz. O marido vai para o trabalho pensando que encontrará a sua realização pessoal? Não: dá o seu suor e as suas lágrimas pelo bem da família. E por aí vamos: filhos que renunciam aos sonhos para alegrar os pais, pais que renunciam à vida para alegrar os filhos, dor e sofrimento justificando aquilo que devia trazer apenas alegria: amor.

– Pára.

Ralf parou. Era o momento certo para mudar de assunto, e começou a mostrar um desenho após outro. No início, tudo parecia confuso, havia contornos de pessoas – mas também rabiscos, cores, traços nervosos ou geométricos. A pouco e pouco, porém, ela começou a perceber o que ele dizia, porque cada palavra sua era acompanhada de um gesto de mão, e cada frase a colocava no mundo de que até então se negara a fazer parte – dizendo a si mesma que tudo não passava de um período na sua vida, uma maneira de ganhar dinheiro e nada mais.

– Sim, descobri que não há apenas uma, mas duas histórias sobre a prostituição. A primeira conheces muito bem, porque é também a tua: uma rapariga bonita, por diversas razões que ela escolheu – ou que escolheram por ela – descobre que a única maneira de sobreviver é vendendo o seu corpo. Algumas acabam por dominar nações, como Messalina fez em Roma, outras transformam-se em mitos, como Madame du Barry, outras ainda cortejam a aventura e a desgraça ao mesmo tempo, como a espia Mata Hari. Mas a maioria nunca encontrará um momento de glória ou um grande desafio: serão para sempre raparigas do interior que vêm em busca de fama, marido, aventura e acabam por descobrir uma outra realidade, mergulham nela por algum tempo, habituam-se, acham que controlam a situação, e não conseguem fazer mais nada.

"Os artistas continuam a fazer esculturas, pinturas, e escrevem os seus livros há mais de três mil anos. Da mesma maneira, as prostitutas continuam o seu trabalho através do tempo como se nada tivesse mudado muito. Queres saber pormenores?

Maria fez que sim com a cabeça. Precisava de ganhar tempo, compreender a dor, começava a ter a sensação de que algo de muito mau tinha saído do seu corpo enquanto caminhava pelo parque.

– Aparecem prostitutas nos textos clássicos, nos hieróglifos egípcios, na escrita suméria, no Antigo e Novo Testamento. Mas a profissão só começa a organizar-se no século VI a.C., quando o legislador Sólon – na Grécia – institui bordéis controlados pelo Estado, e inicia a cobrança de impostos pelo "comércio da carne". Os homens de negócios atenienses alegram-se, porque o que antes era proibido agora passa a ser legal. As prostitutas, por seu lado, começam a ser classificadas segundo os impostos que pagam.

»A mais barata é chamada *pornai*, escrava que pertence aos donos do estabelecimento. Em seguida, vem a *peripatética*, que consegue os seus fregueses na rua. Finalmente, no nível mais alto de preço e de qualidade, está a *hetaera*, "a companhia feminina", que acompanha os homens de negócios nas suas viagens, frequenta os restaurantes chiques, é dona do seu próprio dinheiro, dá conselhos, interfere na vida política da cidade. Como vês, o que aconteceu ontem acontece hoje também.

»Na Idade Média, por causa das doenças sexualmente transmissíveis...

Silêncio, medo da gripe, calor da lareira – agora necessário para aquecer o seu corpo e a sua alma. Maria já não queria ouvir aquela história – dava-lhe a sensação de que o mundo tinha parado, de que tudo se repetia, e o homem nunca seria capaz de dar ao sexo o respeito merecido.

– Não pareces interessada.

Ela fez um esforço. Afinal de contas, era o homem a quem decidira entregar o seu coração, embora já não estivesse tão segura.

– Não estou interessada naquilo que conheço; isso entristece-me. Disseste que havia outra história.

– A outra história é exactamente o oposto: a prostituição sagrada.

De repente, ela saíra do seu estado sonolento, e ou-
via-o com atenção. Prostituição sagrada? Ganhar dinheiro com o sexo, e ainda assim aproximar-se de Deus?

– O historiador grego Heródoto escreve a respeito da
Babilónia: "Existe ali um costume muito estranho: toda a
mulher que nasce na Suméria é obrigada, pelo menos uma
vez na sua vida, a ir ao templo da deusa Ishtar e entregar
o seu corpo a um desconhecido, como um símbolo de
hospitalidade, e por um preço simbólico."

Depois perguntaria quem era aquela deusa; talvez
também ela a ajudasse a recuperar algo que tinha perdido, e não sabia o que era.

– A influência da deusa Ishtar espalhou-se por todo o
Médio Oriente, atingiu a Sardenha, a Sicília, e os portos
do Mar Mediterrâneo. Mais tarde, durante o Império Ro-
mano, outra deusa – Vesta – exige a virgindade total, ou a
entrega total. Para manter o fogo sagrado, as mulheres do
seu templo encarregavam-se de iniciar os jovens e os reis
no caminho da sexualidade – cantavam hinos eróticos,
entravam em transe, e ofereciam o seu êxtase ao Universo, numa espécie de comunhão com a divindade.

Ralf Hart mostrou uma fotocópia de algumas letras
antigas, com a tradução em alemão em nota de rodapé.
Declamou-as devagar, traduzindo cada verso:

"*Quando estou sentada à porta de uma taberna,*
eu, Ishtar, a deusa,
sou prostituta, mãe, esposa, divindade.
Sou o que chamam vida

Embora vocês chamem Morte.
Sou o que chamam Lei
Embora vocês chamem Marginal.
Eu sou o que buscam
E aquilo que conseguiram.
Eu sou aquilo que espalharam
E agora recolhem os meus pedaços."

Maria soluçou, e Ralf Hart riu-se; a sua energia vital voltava, a "luz" começava de novo a brilhar. Era melhor continuar com a história, mostrar os desenhos, fazê-la sentir-se amada.

– Ninguém sabe por que razão a prostituição sagrada desapareceu, depois de ter durado pelo menos dois milénios. Talvez por causa das doenças, ou de uma sociedade que mudou as suas regras quando as religiões também mudaram. Enfim, ela já não existe, e não voltará a existir – hoje em dia, os homens controlam o mundo, e o termo serve apenas para criar um estigma, e chamar prostituta a qualquer mulher que ande fora da linha.

– Podes ir ao "Copacabana" amanhã?

Ralf não percebeu a pergunta, mas concordou imediatamente.

Do Diário de Maria, na noite em que caminhou descalça pelo Jardin Anglais em Genebra:

Não me interessa se algum dia já foi sagrado ou não, mas EU ODEIO O QUE FAÇO. Está a destruir a minha alma, faz-me perder o contacto comigo mesma, ensina-me que a dor é uma recompensa, o dinheiro compra tudo, justifica tudo.

Ninguém é feliz à minha volta; os clientes sabem que têm de pagar por aquilo que deveriam ter de graça, e isso é deprimente. As mulheres sabem que precisam de vender aquilo que gostariam de entregar apenas por prazer e carinho, e isso é destruidor. Lutei muito antes de escrever isto, de aceitar que me sentia infeliz, descontente – precisava e ainda preciso de resistir mais algumas semanas.

Entretanto, já não posso ficar quieta, fingir que está tudo normal, que é um período, uma época da minha vida. Quero esquecê-la, preciso de amar – só isso, preciso de amar.

A vida é curta – ou longa de mais para que eu possa dar-me ao luxo de a viver tão mal.

Não é a casa dele. Não é a sua casa. Nem é o Brasil, nem a Suíça, mas um hotel – que pode estar em qualquer lugar do mundo, sempre com os mesmos móveis, e aquele ambiente que pretende ser familiar, o que o faz ainda mais distante.

Não é o hotel com a bela vista para o lago, a lembrança da dor, do sofrimento, do êxtase; as suas janelas dão para o caminho de Santiago, uma rota de peregrinação, mas não de penitência, um lugar onde as pessoas se encontram nos cafés à beira da rua, descobrem a "luz", conversam, ficam amigas, se apaixonam. Chove, e a esta hora da noite ninguém anda por ali, mas andaram durante muitos anos, décadas, séculos – talvez o caminho precise de respirar, descansar um pouco dos muitos passos que todos os dias se arrastam por ele.

Apagar a luz. Fechar as cortinas.

Pedir que dispa a roupa, despir também a sua. A escuridão física nunca é total, e quando os olhos já estão habituados a ela, poder ver, no contorno de uma pequena luz que entra não se sabe de onde, a silhueta do homem. Da outra vez que se encontraram para isso, ela tinha apenas deixado parte do seu corpo nu.

Tirar dois lenços, cuidadosamente dobrados, lavados, e enxaguados várias vezes, de modo a não ficar nenhum traço de perfume ou de sabão. Aproximar-se dele e pedir que vende os seus olhos. Ele hesita por um momento, e comenta sobre alguns infernos por que já passou. Ela diz que não se trata disso, que precisa apenas da escuridão total, que agora é a sua vez de lhe ensinar algo, como ontem ele lhe tinha ensinado algo sobre a dor. Ele entrega-se, coloca a venda. Ela faz o mesmo; agora já não há fresta de luz, estão na verdadeira escuridão, um precisa da mão do outro para chegar à cama.

Não, não devemos deitar-nos. Vamos sentar-nos como sempre fizemos, frente a frente, só que um pouco mais perto, de modo que os meus joelhos toquem os seus joelhos.

Sempre quis fazer isso. Mas nunca tinha o que precisava: tempo. Nem com o primeiro namorado, nem com o homem que a penetrou pela primeira vez. Nem com o árabe que lhe pagou mil francos, talvez esperando mais do que ela foi capaz de dar – embora mil francos não sejam suficientes para ela comprar o que desejava. Nem com os muitos homens que passaram pelo seu corpo, entraram e saíram das suas pernas, às vezes pensando apenas neles, às vezes pensando também nela, às vezes com sonhos românticos, às vezes apenas com o instinto de repetir algo porque lhes disseram que é assim que um homem age, e se não agir assim não é homem.

Lembra-se do seu diário. Está farta, quer que as semanas que faltam passem rapidamente, e por isso entrega-se a este homem, porque ali está a luz do seu próprio amor escondido. O pecado original não foi a maçã que Eva comeu, foi achar que Adão precisava de partilhar exactamente o que ela havia experimentado. Eva tinha medo de seguir o seu caminho sem a ajuda de ninguém, então quis partilhar o que sentia.

Certas coisas não se partilham. Tão-pouco se pode ter medo dos oceanos em que mergulhamos por nossa livre vontade; o medo confunde o jogo de toda a gente. O homem passa por infernos para o entender. Amemo-nos uns aos outros, mas não tentemos possuir-nos uns aos outros.

Eu amo este homem que está diante de mim, porque eu não o possuo, e ele não me possui. Somos livres na nossa entrega, preciso de o repetir dezenas, centenas, milhões de vezes, até que acabe por acreditar nas minhas próprias palavras.

Pensa um pouco nas outras prostitutas que trabalham com ela. Pensa na sua mãe, nas suas amigas. Todas acreditam que o homem deseja apenas onze minutos por dia, e que pagam muito por isso. Não, não é assim; o homem também é uma mulher; quer encontrar alguém, descobrir um sentido para a sua vida.

Será que a sua mãe se comporta como ela, e finge ter um orgasmo com o seu pai? Ou será que, no interior do Brasil, ainda é proibido mostrar que uma mulher tem prazer no sexo? Sabe tão pouco da vida, do amor, e agora – com os olhos vendados e todo o tempo do mundo, vai descobrindo a origem de tudo, e tudo começa onde e como ela gostaria de ter começado.

O toque. Esquece as prostitutas, os clientes, a mãe e o pai, agora está na escuridão total. Passou a tarde inteira tentando descobrir o que poderia dar a um homem que lhe devolvia a dignidade, a fazia perceber que a busca da alegria é mais importante do que a necessidade da dor.

Eu gostaria de lhe dar a felicidade de me ensinar algo novo, como ontem me ensinou sobre sofrimento, prostitutas de rua, prostitutas sagradas. Vi que é feliz quando me faz aprender algo, então que me faça aprender, que me guie. Eu gostaria de saber como se chega ao corpo, antes de se chegar à alma, à penetração, ao orgasmo.

Estende o braço na sua direcção, e pede que ele faça o mesmo. Sussurra poucas palavras, dizendo que naquela noite, naquele lugar de ninguém, gostaria que ele descobrisse a sua pele, o limite entre ela e o mundo. Pede-lhe que a toque, que a sinta com as suas mãos, porque os corpos se entendem, embora nem sempre as almas estejam de acordo. Ele começa a tocá-la, ela também o toca, e ambos, como se tivessem combinado tudo anteriormente, evitam as partes do corpo em que a energia sexual aflora mais rapidamente.

Os dedos tocam o seu rosto, ela sente um ligeiro cheiro de tinta, um cheiro que sempre permanecerá ali, por mais que ele lave aquelas mãos milhares, milhões de vezes, que estava ali quando nasceu, quando ele viu a primeira árvore, a primeira casa, e decidiu desenhá-la nos seus sonhos. Também ele deve sentir algum cheiro na sua mão, mas ela não sabe o que é, e não quer perguntar, porque neste momento tudo é corpo, o resto é silêncio.

Acaricia, e sente-se acariciada. Pode ficar assim a noite inteira, porque é agradável, não vai acabar necessariamente em sexo – e nesse momento, justamente porque não tem obrigação, ela sente um calor entre as pernas, e sabe que ficou húmida. Vai chegar a hora em que ele tocará o seu sexo, descobrirá que está molhado, não sabe se é bom ou se é mau, mas é assim que o seu corpo reage, e não pretende dizer para ir por aqui, ir por ali, mais devagar, mais rapidamente. As mãos do homem agora tocam as suas axilas, os pêlos dos seus braços eriçam-se, ela tem vontade de empurrá-las dali – mas é bom, embora talvez seja dor o que sente. Faz o mesmo nele, nota que as axilas têm uma textura diferente, talvez por causa do desodorizante que ambos usam, mas no que está a pensar? Não deve pensar. Deve tocar, isso é tudo.

Os dedos dele traçam círculos em torno do seu seio, como um animal que espreita. Ela quer que se movam mais rapidamente, que toquem logo os bicos, porque o seu pensamento vai mais veloz que as mãos dele, mas, talvez por o saber, ele provoca, delicia-se, e tarda uma infinidade até chegar ali. Estão duros, ele brinca um pouco, e aquilo deixa o seu corpo mais arrepiado, e o seu sexo mais quente e mais húmido. Agora ele passeia pelo seu ventre, desvia-se e vai até às pernas, aos pés, sobe e desce as mãos pelo lado interno das suas coxas, sente o calor, mas não se aproxima, é um toque doce, leve, e quanto mais leve, mais alucinante.

Ela faz o mesmo, mantendo as mãos quase flutuando, tocando apenas os cabelos das pernas, e também sente o calor, quando se aproxima do sexo. De repente é como se tivesse recuperado misteriosamente a virgindade, como se descobrisse pela primeira vez o corpo de um homem. Toca-o. Não está duro como imaginava, e ela está toda molhada, isso é injusto, mas talvez o homem precise de mais tempo, sei lá.

E começa a acariciá-lo como só as virgens sabem fazer, porque as prostitutas já se esqueceram. O homem reage, o sexo começa a crescer nas suas mãos, e ela aumenta lentamente a pressão, sabendo agora onde deve tocar, mais na parte de baixo que na de cima, deve envolvê-lo com os dedos, puxar a pele para trás, em direcção ao corpo. Agora ele está excitado, muito excitado, tocou os lábios da sua vagina, mantendo a suavidade, e ela tem vontade de pedir que o faça com mais força, coloque os dedos lá dentro, na parte de cima. Mas ele não o faz, espalha no clitóris um pouco do líquido que jorra do seu ventre, e de novo faz os mesmos movimentos circulares que fez nos seus mamilos. Aquele homem toca-a como se fosse ela mesma.

Uma das mãos dele subiu de novo para o seu seio, como é bom, como gostaria que ele a abraçasse agora. Mas não, descobrem o corpo, têm tempo, precisam de muito tempo. Podiam fazer amor agora, seria a coisa mais natural do mundo, e possivelmente seria bom, mas tudo aquilo é tão novo, tem de se controlar, não quer estragar tudo. Lembra-se do vinho que beberam na primeira noite, lentamente, sorvendo cada gole, sentindo que a aquecia, a fazia ver o mundo de forma diferente, a deixava mais solta e mais em contacto com a vida.

Deseja também beber aquele homem, e então poderá esquecer para sempre o mau vinho, que se toma de um gole, dá uma sensação de embriaguez, mas termina em dor de cabeça e um buraco na alma.

Ela pára, suavemente entrelaça os seus dedos nas mãos dele, escuta um gemido e tem vontade de gemer também, mas controla-se, sente que aquele calor se espalha por todo o seu corpo, o mesmo deve acontecer com ele. Sem orgasmo a energia dispersa-se, vai até ao cérebro, não a deixa pensar em mais nada a não ser em ir até ao fim, mas é isso que ela quer – parar, parar no meio, espalhar o prazer por todo o corpo, invadir a mente, renovar o compromisso e o desejo, voltar a ser virgem.

Tira suavemente a venda dos seus próprios olhos, e faz o mesmo com ele. Acende a luz da mesa de cabeceira. Os dois estão nus, e não sorriem, apenas se olham. Eu sou o amor, eu sou a música, pensa ela. Vamos dançar.

Mas não diz nada disso: falam de qualquer coisa trivial, quando nos vamos encontrar de novo, ela marca uma data, talvez daqui a dois dias. Ele diz que gostaria de a convidar para uma exposição, ela vacila. Isso significaria conhecer o seu mundo, os seus amigos, e o que vão dizer, o que vão pensar.

Diz que não. Mas ele percebe que a sua vontade era dizer sim, então insiste, usando alguns argumentos tolos, mas que fazem parte da dança que dançam agora, ela acaba por ceder, porque era isso que queria. Marca um lugar para se encontrarem, no mesmo café a que foram no primeiro dia. Ela diz que não, os brasileiros são supersticiosos, e não devem encontrar-se no lugar onde se viram no primeiro dia, porque aquilo pode fechar um ciclo, e acabar tudo.

Ele diz que está contente, porque ela não quer fechar esse ciclo. Decidem-se por uma igreja de onde se pode ver a cidade, e que está no caminho de Santiago, parte da misteriosa peregrinação que os dois têm feito desde que se encontraram.

Do Diário de Maria, na véspera de comprar o seu
bilhete de avião de volta para o Brasil:

Era uma vez um pássaro. Adornado com um par
de asas perfeitas e plumas reluzentes, coloridas e mara-
vilhosas. Enfim, um animal feito para voar livre e sol-
to no céu, e alegrar quem o observasse.

Um dia, uma mulher viu o pássaro e apaixonou-
-se por ele. Ficou a olhar o seu voo com a boca aberta de
espanto, o coração batendo mais rapidamente, os olhos
brilhando de emoção. Convidou-o para voar com ela, e
os dois viajaram pelo céu em completa harmonia. Ela
admirava, venerava, celebrava o pássaro.

Mas então pensou: talvez ele queira conhecer
algumas montanhas distantes! E a mulher sentiu medo.
Medo de nunca mais sentir aquilo com outro pássaro.
E sentiu inveja, inveja da capacidade de voar do
pássaro.

E sentiu-se sozinha.

E pensou: "Vou montar uma armadilha. Da próxima vez que o pássaro surgir, ele não partirá mais."

O pássaro, que também estava apaixonado, voltou no dia seguinte, caiu na armadilha, e foi preso na
gaiola.

Todos os dias ela olhava o pássaro. Ali estava o
objecto da sua paixão, e ela mostrava-o às suas amigas, que comentavam: "Mas tu és uma pessoa que tem
tudo." Entretanto, uma estranha transformação come-

çou a processar-se: como tinha o pássaro, e já não precisava de o conquistar, foi perdendo o interesse. O pássaro, sem poder voar e exprimir o sentido da sua vida, foi definhando, perdendo o brilho, ficou feio — e a mulher já não lhe prestava atenção, apenas prestava atenção à maneira como o alimentava e como cuidava da sua gaiola.

Um belo dia, o pássaro morreu. Ela ficou profundamente triste, e passava a vida a pensar nele. Mas não se lembrava da gaiola, recordava apenas o dia em que o vira pela primeira vez, voando contente entre as nuvens.

Se ela se observasse a si mesma, descobriria que aquilo que a emocionava tanto no pássaro era a sua liberdade, a energia das asas em movimento, não o seu corpo físico.

Sem o pássaro, a sua vida também perdeu o sentido, e a morte veio bater à sua porta. "Por que vieste?" perguntou à morte.

"Para que possas voar de novo com ele nos céus", respondeu a morte. "Se o tivesses deixado partir e voltar sempre, amá-lo-ias e admirá-lo-ias ainda mais; porém, agora precisas de mim para poderes encontrá-lo de novo."

Começou o dia a fazer uma coisa que ensaiara durante todos aqueles meses: entrou numa agência de viagens e comprou uma passagem para o Brasil, para a data que marcara no seu calendário.

Agora, só lhe restavam mais duas semanas na Europa. A partir daquele momento, Genève seria o rosto de um homem que amou e que a amou. A Rue de Berne seria um nome, homenagem à capital da Suíça. Lembrar-se-ia do seu quarto, do lago, da língua francesa, das loucuras que uma rapariga de 23 anos (o seu aniversário fora na véspera) é capaz de fazer – até perceber que há um limite.

Não prenderia o pássaro, nem lhe pediria que a acompanhasse ao Brasil; ele era a única coisa verdadeiramente pura que lhe tinha acontecido. Um pássaro como aquele tem de voar livremente, alimentar-se da saudade de um tempo em que voou com alguém. E ela também era um pássaro; ter Ralf Hart ao seu lado seria lembrar-se para sempre dos dias no "Copacabana". E isso era o seu passado, não o seu futuro.

Decidiu que ia dizer "adeus" apenas uma vez, quando chegasse o momento da partida não ficaria a sofrer de cada vez que se lembrasse "em breve já não estarei aqui". Portanto, enganou o seu coração e caminhou por Genève naquela manhã como se sempre tivesse passeado por aquelas ruas, a colina, o caminho de Santiago, a ponte de Montblanc, os bares que costumava frequentar. Acompanhou o voo das gaivotas no rio, os comerciantes recolhendo as barracas, as pessoas saindo dos seus escritórios para almoçar, a cor e o gosto da maçã que comia, os aviões pousando à distância, o arco-íris na coluna de água que subia do meio do lago, a alegria tímida e secreta de todos os que passavam por ela, os olhares de desejo, os olhares sem expressão, os olhares. Vivera quase um ano numa cidade pequena, como tantas cidades pequenas do mundo, e se não fosse pela arquitectura peculiar e pelo excesso de letreiros de bancos, podia estar localizada no interior do Brasil. Havia feira. Havia mercado. Havia donas de casa a discutir o preço. Havia estudantes que tinham deixado as aulas antes da hora, talvez com a desculpa de que o pai e a mãe estavam doentes, e agora passeavam e beijavam-se nas margens do rio. Havia gente que se sentia em casa, e gente que se sentia estrangeira. Havia jornais que falavam de escândalos, e respeitáveis revistas para homens de negócios – que, por sinal, só eram vistos a ler jornais sobre escândalos.

Foi à biblioteca devolver o manual sobre administração de fazendas. Não tinha percebido nada, mas este livro recordara-lhe, nos momentos em que pensava ter perdido o controlo de si mesma e do seu destino, qual era o objectivo da sua vida. Tinha sido um companheiro silencioso, uma capa amarela sem desenhos, uma série de gráficos, mas, sobretudo, um farol nas noites escuras das semanas mais recentes.

Sempre a fazer planos para o futuro. E sendo sempre surpreendida pelo presente, dizia a si mesma. Pensava ter-se descoberto a si mesma através da independência, depois do desespero, em seguida do amor, mais tarde da dor, para logo se encontrar de novo com o amor – e gostaria que as coisas acabassem por ali.

O mais curioso de tudo é que, enquanto algumas das suas companheiras de trabalho falavam das virtudes e do êxtase de estar com certos homens na cama, ela nunca se tinha descoberto melhor ou pior através do sexo. Não resolvera o seu problema, era incapaz de ter um orgasmo com a penetração, e vulgarizara tanto o acto sexual que talvez não conseguisse nunca mais encontrar no tal "abraço do reencontro" – como Ralf Hart dizia – o fogo e a alegria que procurava.

Ou talvez (como costumava pensar de vez em quando) sem amor era impossível ter qualquer prazer na cama, como diziam as mães, os pais e os livros românticos.

A bibliotecária (e sua única amiga, embora nunca lho tivesse dito), normalmente séria, estava de bom humor. Atendeu-a à hora do almoço, convidou-a para partilhar uma sanduíche, Maria agradeceu e disse que tinha acabado de almoçar.

– Demorou muito a ler.

– Não percebi nada.

– Lembra-se do que uma vez me pediu?

Não, não se lembrava, mas ao ver o sorriso malicioso da mulher à sua frente recordou-se. Sexo.

– Sabe, desde que veio aqui à procura desse tipo de assunto, resolvi fazer um levantamento do que tínhamos.

Não era muito, e, como devemos educar a nossa juventude, encomendei alguns. Assim, não precisam de aprender da pior maneira possível – com prostitutas, por exemplo.

A bibliotecária apontou para uma pilha de livros num canto, todos discretamente encapados com papel pardo.

– Ainda não tive tempo de os classificar, mas dei uma olhadela e fiquei horrorizada com o que descobri.

Bem, podia adivinhar o que a mulher queria dizer: posições constrangedoras, sadomasoquismo, e coisas desse tipo. Era melhor dizer que tinha de voltar ao trabalho (não se lembrava onde tinha dito que trabalhava, se num banco ou numa loja – mentir dava muito trabalho, ela esquecia-se sempre do que tinha dito).

Agradeceu, fez sinal de que ia sair, mas a outra comentou:

– A menina também ficaria horrorizada. Por exemplo: sabia que o clitóris é uma invenção recente?

Invenção? Recente? Ainda esta semana alguém tinha tocado no seu, como se sempre estivesse estado ali, e como se aquelas mãos conhecessem bem o terreno que estava a ser explorado – apesar da escuridão completa.

– Foi oficialmente aceite em 1559, depois de um médico, Realdo Columbo, ter publicado um livro chamado *De re anatomica*. Durante mil e quinhentos anos da era cristã, ele era oficialmente ignorado. Columbo descreve-o, no seu livro, como "uma coisa bonita e útil", acredita?

As duas riram.

– Dois anos depois, em 1561, outro médico, Gabrielle Fallopio, disse que a "descoberta" tinha sido dele. Veja só! Dois homens – italianos, claro, que entendem do assunto – a discutir quem tinha oficialmente colocado o clitóris na história do mundo!

Aquela conversa era interessante, mas Maria não queria pensar no assunto, principalmente porque sentia novamente o líquido a escorrer, e o sexo a ficar molhado – só de se lembrar do toque, das vendas, das mãos que passeavam no seu corpo. Não, não estava morta para o sexo, aquele homem tinha-a resgatado de alguma maneira. Que bom continuar viva.

A bibliotecária, porém, estava entusiasmada:

– Mesmo depois de "descoberto", continuou a ser desrespeitado – parecia que se tinha tornado uma perita em "clitoriologia", ou seja lá qual fosse o nome dessa ciência. – As notícias das mutilações que aparecem actualmente nos jornais, em que certas tribos de África ainda tiram à mulher o direito ao prazer, não são nenhuma novidade. Aqui mesmo na Europa, no século XIX, ainda se faziam operações para o eliminar, acreditando que naquela pequena e insignificante parte da anatomia feminina estava a origem da histeria, da epilepsia, da tendência para o adultério, e da incapacidade para ter filhos.

Maria estendeu a mão para se despedir, mas a bibliotecária não dava sinais de cansaço.

– Pior ainda, o nosso querido Freud, o pai da psicanálise, dizia que o orgasmo feminino, numa mulher normal, deve mover-se do clitóris para a vagina. Os seus mais fiéis seguidores, ao desenvolverem essa tese, passaram a afirmar que o facto de manter o prazer sexual concentrado no clitóris era um sinal de infantilidade, ou, o que é pior, de bissexualidade.

»E no entanto, como todas nós sabemos, é muito difícil ter um orgasmo apenas com a penetração. É bom ser possuída por um homem, mas o prazer está naquele grãozinho ali, descoberto por um italiano!

Distraída, Maria reconheceu que o seu problema tinha sido diagnosticado por Freud: ainda era infantil, o seu orgasmo não se tinha transferido para a vagina. Ou será que Freud estava errado?

– E o ponto G, o que é que acha?

– A senhora sabe onde fica?

A mulher ficou corada, tossiu, mas teve a coragem de responder:

– Logo que você entrar, no primeiro andar, janela dos fundos.

Genial! Descrevera a vagina como um edifício! Talvez tivesse lido aquela explicação num livro para meninas que, depois de alguém bater à porta e entrar, descobrem todo um universo dentro do próprio corpo. Sempre que se masturbava, preferia o tal ponto G ao clitóris, já que este lhe dava uma certa aflição, um prazer misturado com agonia, algo angustiante.

Ia sempre para o primeiro andar, janela dos fundos!

Vendo que a mulher não ia parar de falar – talvez tivesse acabado de descobrir nela uma cúmplice da sua própria sexualidade perdida – acenou com a mão, saiu, e procurou continuar a concentrar-se em qualquer insignificância, porque não era dia de pensar em despedidas, clitóris, virgindade refeita, ou ponto G. Prestou atenção ao ruídos – sinos que tocavam, cães que ladravam, o eléctrico que rangia nos trilhos, os passos, a respiração, os letreiros que ofereciam tudo.

Já não tinha vontade de voltar ao "Copacabana", e mesmo assim sentia-se na obrigação de levar o seu trabalho até ao fim, mesmo que desconhecesse a verdadeira razão – afinal de contas, já tinha conseguido economizar o suficiente. Durante aquela tarde, podia fazer algumas compras, conversar com um gerente de banco que era seu cliente, mas que prometera ajudá-la com as suas economias, tomar um café e despachar pelo correio algumas roupas que não caberiam na sua bagagem. Estranho, sentia-se um pouco triste, não conseguia perceber; talvez porque ainda faltassem duas semanas, precisava de passar o tempo, olhar a cidade com outros olhos, alegrar-se por ter vivido tudo aquilo.

Chegou a um cruzamento que já atravessara centenas de vezes, dali podia ver o lago, a coluna de água, e – no meio do jardim que se estendia do outro lado da calçada – o belo relógio de flores, um dos símbolos da cidade, e ele não a deixava mentir, porque...

De repente, o tempo, o mundo ficou imóvel.

Que história era aquela de virgindade recém-recuperada em que pensava desde a manhã?

O mundo parecia congelado, aquele segundo não passava nunca, ela estava diante de algo muito sério e muito importante na sua vida, não podia esquecer-se, não podia fazer como com os seus sonhos nocturnos, tencionava sempre anotá-los, e nunca se lembrava...

"Não penses em nada. O mundo parou. O que está a acontecer?"

CHEGA!

O pássaro, a linda história do pássaro que acabara de escrever era sobre Ralf Hart?

Não, era sobre ela mesma!

PONTO FINAL!

Eram 11:11 da manhã, e ela parava naquele momento. Era uma estrangeira no seu próprio corpo, redescobria a virgindade recém-recuperada, mas o seu renascer era tão frágil que, se continuasse ali, estaria perdida para sempre. Experimentara o céu talvez, o inferno com certeza, mas a Aventura chegava ao fim. Não podia esperar duas semanas, dez dias, uma semana – precisava de se ir embora rapidamente –, porque, ao olhar aquele relógio cheio de flores, os turistas a tirar fotografias e as crianças a brincar à sua volta, acabava de descobrir o motivo da sua tristeza.

E o motivo é que não queria voltar.

E a razão não era Ralf Hart, a Suíça, a Aventura. A verdadeira razão era demasiado simples: dinheiro.

Dinheiro! Um pedaço de papel especial, pintado com cores sóbrias, que toda a gente dizia valer alguma coisa – e ela acreditava, todos acreditavam nisso – até ao momento em que fosse com uma montanha daquele papel a um banco, um respeitável, tradicional, secretíssimo banco suíço, e pedisse: "Posso adquirir algumas horas para a minha vida?" "Não senhora, não vendemos isso; só compramos."

Maria foi despertada do seu delírio pela travagem de um carro, o protesto de um motorista, e um velhinho sorridente pedindo, em inglês, que recuasse – o sinal estava fechado para os peões.

"Bem, acho que descobri uma coisa que toda a gente deve saber."

Mas não sabiam: olhou à sua volta, as pessoas andavam de cabeça baixa, corriam para o trabalho, para a escola, para uma agência de empregos, para a Rue de Berne, dizendo sempre: "Posso esperar um pouco mais. Tenho um sonho, mas ele não tem de ser vivido hoje, porque preciso de ganhar dinheiro." Claro, o seu emprego era amaldiçoado – mas no fundo tudo se resumia a vender o seu tempo, como toda a gente. Fazer coisas de que não gostava, como toda a gente. Aturar pessoas insuportáveis, como toda a gente. Entregar o seu precioso corpo e a sua preciosa alma em nome de um futuro que nunca chegava, como toda a gente. Dizer que ainda não tinha o bastante, como toda a gente. Aguardar só mais um pouquinho, como toda a gente. Esperar mais um pouco, ganhar algo mais, realizar os seus desejos depois, de momento estava muito ocupada, tinha uma oportunidade diante dela, clientes que a esperavam, que eram féis, que podiam pagar de 350 até 1000 francos por noite.

E pela primeira vez na sua vida, apesar de todas as coisas boas que podia comprar com o dinheiro que ganhasse – quem sabe, apenas mais um ano? – ela resolveu consciente, lúcida e propositadamente deixar passar uma oportunidade.

Maria esperou que o sinal abrisse, atravessou a rua, parou diante do relógio de flores, pensou em Ralf, sentiu de novo o seu olhar de desejo na noite em que baixara parte do seu vestido, sentiu as suas mãos tocarem-lhe os seios, o sexo, o rosto, ficou molhada, olhou para a imensa coluna de água à distância, e – sem precisar de tocar uma só parte do seu corpo – teve um orgasmo ali, à frente de toda a gente.

Ninguém notou; estavam todos muito, muito ocupados.

Nyah, a única das suas colegas com quem tinha uma relação próxima do que se poderia chamar amizade, chamou-a assim que entrou. Estava com um oriental, e os dois riam.

– Veja – disse a Maria. – Veja o que quer que eu faça com ele!

O oriental, com um olhar cúmplice e mantendo o sorriso nos lábios, abriu a tampa de uma espécie de caixa de charutos. De longe, Milan olhou para ver se não se tratava de seringas ou drogas. Não, era apenas aquela coisa que nem ele sabia bem como funcionava, mas não era nada de especial.

– Parece uma coisa do século passado! – disse Maria.

– É uma coisa do século passado – concordou o oriental, indignado com a ignorância do comentário. – Este tem mais de cem anos, e custou uma fortuna.

O que Maria via era uma série de válvulas, uma manivela, circuitos eléctricos, pequenos contactos de metal, pilhas. Parecia o interior de um velho aparelho de rádio, com dois fios que saíam, em cujas extremidades estavam pequenos bastões de vidro do tamanho de um dedo. Nada que pudesse custar uma fortuna.

– Como funciona?

Nyah não gostou da pergunta de Maria. Embora confiasse na brasileira, as pessoas mudam de uma hora para a outra, e ela podia estar de olho no seu cliente.

– Ele já me explicou. É o Bastão Violeta.

E virando-se para o oriental, sugeriu que saíssem, porque decidira aceitar o convite. Mas o homem parecia entusiasmado com o interesse que o seu brinquedo despertava.

– Por volta de 1900, quando as primeiras pilhas começaram a circular no mercado, a medicina tradicional começou a fazer experiências com electricidade, para ver se curava doenças mentais ou a histeria. Também foi usado para combater espinhas e estimular a vitalidade da pele. Está a ver estas duas extremidades? Elas eram colocadas aqui – apontou para as suas têmporas – e a bateria provocava a mesma descarga estática que levamos quando o ar está muito seco.

Aquilo era uma coisa que nunca acontecia no Brasil, mas na Suíça era muito comum, descobrira Maria quando, certo dia, ao abrir a porta de um táxi ouvira um estalido e levara um choque. Achou que tinha sido um problema do carro, protestou, disse que não ia pagar a corrida, e o motorista quase a agrediu, chamando-lhe ignorante. Ele tinha razão; não era o carro, era o ar muito seco. Depois de vários choques, passou a ter medo de tocar em qualquer coisa de metal, até que descobriu num supermercado uma pulseira que descarregava a electricidade acumulada no corpo.

Virou-se para o oriental:

– Mas é extremamente desagradável!

Nyah estava cada vez mais impaciente com os comentários de Maria. Para evitar futuros conflitos com a sua única possível amiga, mantinha o braço em volta do ombro do homem, de modo a não deixar qualquer dúvida a quem ele pertencia.

– Depende de onde o colocar – riu o oriental.

Em seguida, girou a pequena manivela, e os dois bastões pareceram ficar violetas. Num movimento rápido, ele encostou-os às duas mulheres; houve o estalido, mas o choque parecia mais uma espécie de comichão do que dor.

Milan aproximou-se.

– Por favor, não use isso aqui.

O homem voltou a colocar os bastões na caixa. A filipina aproveitou a oportunidade e sugeriu que fossem já para o hotel. O oriental pareceu um pouco decepcionado, a recém-chegada estava muito mais interessada no Bastão Violeta do que a mulher que agora o convidava para sair. Vestiu o casaco e guardou a caixa dentro de uma pasta de couro, comentando:

– Hoje em dia, estão a fabricá-los de novo, tornaram-se uma espécie de moda entre pessoas que procuram prazeres especiais. Mas este só pode ser encontrado em raras colecções médicas, museus ou antiquários.

Milan e Maria ficaram parados, sem saber o que dizer.

– Você já tinha visto isto?

– Deste tipo, não. Deve realmente custar uma pequena fortuna, mas este homem é um executivo de topo de uma companhia petrolífera. Já vi outros, modernos.

– E o que fazem?

– Enfiam no corpo... e pedem que a mulher gire a manivela. Levam o choque lá dentro.

– Não podiam fazer isso sozinhos?

– Qualquer coisa em sexo pode ser feita a sós. Mas é melhor que continuem a achar que tem mais graça quando estão com outra pessoa, ou o meu bar iria à falência e você teria de trabalhar numa loja de verduras. Por falar nisso, o seu cliente especial disse que virá hoje à noite; por favor, recuse qualquer convite.

– Recusarei. Inclusive o dele. Porque vim apenas despedir-me, vou-me embora.

Milan pareceu não acusar o golpe.

– O pintor?

– Não. "O Copacabana". Existe um limite – e cheguei a ele esta manhã, enquanto olhava para aquele relógio de flores perto do lago.

– Qual é o limite?

– O preço de uma fazenda no interior do Brasil. Sei que posso ganhar mais, trabalhar mais um ano, que diferença faria, não é verdade?

»Pois eu sei a diferença: estaria para sempre nesta armadilha, como você está, e estão os clientes, os executivos, os comissários de bordo, os caçadores de talentos, os donos de discográficas, os muitos homens que conheci, a quem vendi o meu tempo, e que não mo podem vender de volta. Se eu ficar mais um dia, fico mais um ano, e se ficar mais um ano, não sairei nunca.

Milan fez um discreto sinal afirmativo, como se entendesse e concordasse com tudo, embora não pudesse dizer nada – porque podia contagiar todas as meninas que trabalhavam para ele. Mas era um homem bom, e embora não tivesse dado a sua bênção, tão-pouco fez menção de tentar convencer a brasileira de que ela fazia mal.

Agradeceu, pediu um *drink* – um copo de champanhe, já não aguentava mais o *cocktail* de fruta. Agora podia beber, não estava de serviço. Milan disse-lhe que lhe telefonasse se precisasse de alguma coisa; ela seria sempre bem-vinda.

Fez menção de pagar o *drink*, ele disse que era por conta da casa. Ela aceitou: tinha dado àquela casa muito mais do que um *drink*.

Do Diário de Maria, ao voltar para casa:

Já não me lembro quando foi, mas, num domingo qualquer, resolvi entrar numa igreja para assistir à missa. Depois de estar muito tempo à espera, dei-me conta de que estava no lugar errado – era um templo protestante.

Ia sair, mas o pastor começou o sermão, achei que seria indelicado levantar-me – e isso foi uma bênção, porque naquele dia ouvi coisas que precisava muito de ouvir.

O pastor disse algo como:

"Em todas as línguas do mundo existe um mesmo ditado: o que os olhos não vêem, o coração não sente. Pois eu afirmo que não há nada mais falso do que isso; quanto mais longe, mais perto do coração estão os sentimentos que procuramos sufocar e esquecer. Se estamos no exílio, queremos guardar cada pequena lembrança das nossas raízes, se estamos distantes da pessoa amada, cada pessoa que passa pela rua nos faz lembrar dela.

»Os Evangelhos e todos os textos sagrados de todas as religiões foram escritos no exílio, em busca da compreensão de Deus, da fé que movia os povos para a frente, da peregrinação das almas errantes pela face da Terra. Os nossos antepassados não sabiam, e tão-pouco nós sabemos, o que a Divindade espera das nossas vidas – e é nesse momento que os livros são escritos, os quadros pintados, porque não queremos e não podemos esquecer quem somos."

No fim do culto, fui ter com o pastor e agradeci: disse-lhe que era uma estrangeira numa terra estrangeira, e agradeci por me ter lembrado que o que os olhos não vêem, o coração sente. E por ter sentido tanto, hoje vou-me embora.

Pegou nas duas malas e colocou-as em cima da cama; tinham estado sempre ali, esperando o dia em que tudo chegaria ao fim. Pensava que iria enchê-las de muitos presentes, vestidos novos, fotos na neve, e nas grandes capitais europeias, lembranças de um tempo feliz em que tinha conhecido o país mais seguro e mais generoso do mundo. Tinha alguns vestidos novos, era verdade, e algumas fotos na neve que um dia caíra em Genève, mas, fora isso, nada mais era como tinha imaginado.

Chegara com o sonho de ganhar muito dinheiro, aprender sobre a vida e sobre quem era, comprar uma fazenda para os seus pais, encontrar um marido, e trazer a família para conhecer onde morava. Voltava com o dinheiro exacto para realizar um sonho, sem ter visitado as montanhas, e – o que era pior – uma estranha para si mesma. Mas estava contente, sabia que era chegado o momento de parar.

Pouca gente no mundo sabe isso.

Vivera apenas quatro aventuras – ser dançarina num *cabaret*, aprender francês, trabalhar como prostituta, e amar perdidamente um homem. Quantas pessoas podem vangloriar-se de tanta emoção num ano? Estava feliz, apesar da tristeza – e esta tristeza tinha um nome, não se chamava prostituição, nem Suíça, nem dinheiro, mas Ralf Hart. Embora nunca o tivesse reconhecido, no fundo do seu coração gostaria de se ter casado com Ralf, que agora a esperava numa igreja, pronto para a levar a conhecer os seus amigos, a sua pintura, o seu mundo.

Pensou em faltar ao encontro, hospedar-se num hotel perto do aeroporto, já que o voo saía na manhã seguinte; a partir de agora, cada minuto passado ao seu lado seria um ano de sofrimento no futuro, por tudo aquilo que ela poderia ter dito e não diria, pelas lembranças da sua mão, da sua voz, do seu apoio, das suas histórias.

Abriu de novo a mala, tirou +a pequena carruagem do comboio eléctrico que ele lhe dera na primeira noite no seu apartamento. Contemplou-o por alguns minutos, e deitou-o no lixo; aquele comboio não merecia conhecer o Brasil, tinha sido inútil e injusto para com a criança que sempre o desejara.

Não, não iria à igreja; talvez ele lhe perguntasse alguma coisa, e, se respondesse com a verdade – "vou-me embora –, ele pedir-lhe-ia que ficasse, prometer-lhe-ia tudo para não a perder naquele momento, declararia o seu amor já demonstrado em todo o tempo que passaram juntos. Mas tinham aprendido a conviver em liberdade, e nenhuma outra relação resultaria, talvez essa fosse a única razão por que ambos se amavam, porque sabiam que um não precisava do outro. Os homens assustam-se sempre que uma mulher diz "eu quero depender de ti", e Maria gostaria de levar consigo a imagem de um Ralf Hart apaixonado, entregue, pronto a fazer qualquer coisa por ela.

Ainda tinha tempo de decidir se ia ou não ao encontro; de momento precisava de se concentrar em coisas mais práticas. Viu que tinha deixado muita coisa fora das malas, e não sabia onde as colocar. Resolveu que o dono do imóvel tomaria a decisão, quando entrasse no apartamento e encontrasse os electrodomésticos na cozinha, os quadros comprados num mercado de segunda mão, as toalhas e a roupa de cama. Não podia levar nada daquilo para o Brasil, mesmo que os seus pais necessitassem mais do que qualquer mendigo suíço; lembrá-la-iam sempre de tudo o que arriscou.

Saiu, foi ao banco e pediu para levantar todo o dinheiro que tinha ali depositado. O gerente – que já frequentara a sua cama – disse que era uma má ideia, aqueles francos podim continuar a render e ela receberia os juros no Brasil. Além do mais, caso a roubassem, seriam muitos meses de trabalho perdido. Maria hesitou por um momento, achando – como sempre achava – que a queriam ajudar de verdade. Mas, depois de reflectir um pouco, concluiu que o objectivo daquele dinheiro não era transformar-se em mais papel, mas numa fazenda, numa casa para os seus pais, algum gado e muito mais trabalho.

Levantou cada centavo, colocou o dinheiro numa pequena bolsa que comprara especialmente para a ocasião e amarrou-a à cintura, por baixo da roupa.

Foi à agência de viagem, rezando para que tivesse coragem de levar avante a sua decisão; quando quis alterar a passagem, disseram-lhe que o voo do dia seguinte fazia uma escala em Paris, para troca de avião. Não tinha importância – precisava de estar longe dali antes que pudesse pensar duas vezes.

Caminhou em direcção a uma das pontes, comprou um gelado – embora já começasse a esfriar de novo – e olhou Genève. Então tudo lhe pareceu diferente, como se tivesse acabado de chegar, e precisasse de ir aos museus, aos monumentos históricos, aos bares e restaurantes da moda. Engraçado que, quando se mora numa cidade, deixa-se sempre para mais tarde conhecê-la – e geralmente acaba-se por não a conhecer nunca.

Pensou em ficar contente porque voltava para a sua terra, mas não conseguiu. Pensou em ficar triste por deixar uma cidade que a tratara tão bem, e tão-pouco conseguiu. A única coisa que pôde fazer foi derramar algumas lágrimas, com medo de si mesma, uma rapariga inteligente, que tinha tudo para ser bem-sucedida, mas que geralmente tomava decisões erradas.

Desejou que desta vez estivesse certa.

A igreja estava completamente vazia quando ela entrou, e pôde contemplar em silêncio os lindos vitrais, iluminados pela luz lá de fora, a luz de um dia lavado pela tempestade da noite anterior. Diante dela, um altar com uma cruz vazia; não estava diante de um instrumento de tortura, com um homem ensanguentado à beira da morte – mas de um símbolo de ressurreição, em que o instrumento de suplício perdia todo o seu significado, o seu horror, a sua importância. Lembrou-se do chicote na noite de trovoada, era a mesma coisa: "Meu Deus, em que estou a pensar?"

Ficou também contente porque não viu imagens de santos sofredores, com marcas de sangue e feridas abertas – aquele era apenas um lugar onde os homens se reuniam para adorar algo que não podiam compreender.

Parou em frente do sacrário, onde estava guardado o corpo de um Jesus em que ela ainda acreditava, embora há muito tempo não pensasse nele. Ajoelhou-se e prometeu a Deus, à Virgem, a Jesus e a todos os santos que, acontecesse o que acontecesse durante aquele dia, ela jamais mudaria de ideias, e ir-se-ia embora de qualquer maneira. Fez esta promessa porque conhecia bem as armadilhas do amor, e como são capazes de transformar a vontade de uma mulher.

Pouco depois, sentiu a mão que a tocava no ombro, e inclinou o seu rosto para que tocasse a mão.

– Como estás?

– Bem – disse, a voz sem qualquer angústia. – Muito bem. Vamos tomar o nosso café.

Saíram de mãos dadas, como se fossem dois namorados que se tinham encontrado depois de muito tempo. Beijaram-se em público, algumas pessoas olharam escandalizadas, ambos sorriam pelo mal-estar que causavam e pelos desejos que despertavam com o escândalo – porque sabiam que, na verdade, eles queriam fazer a mesma coisa. O escândalo era só isso.

Foram a um café igual a todos os outros, mas que naquela tarde era diferente, porque os dois estavam ali e se amavam. Conversaram sobre Genève, as dificuldades da língua francesa, os vitrais da igreja, os males do cigarro – já que ambos fumavam e não tinham a menor intenção de deixar o vício.

Ela fez questão de pagar o café, e ele aceitou. Foram à exposição, ela conheceu o seu mundo, os artistas, os ricos que pareciam mais ricos ainda, os milionários que pareciam pobres, as pessoas que perguntavam coisas sobre as quais nunca tinha ouvido falar. Todos gostaram dela, elogiaram a sua maneira de falar francês, fizeram perguntas sobre o Carnaval, o futebol, a música do seu país. Educados, gentis, simpáticos, envolventes.

Quando saíram, ele disse que iria à *boîte* naquela noite, para se encontrar com ela. Ela pediu que não o fizesse, tinha a noite livre, gostaria de o convidar para jantar.

Ele aceitou, despediram-se, marcaram o encontro em casa dele para jantar num restaurante simpático na pequena praça de Cologny, onde passavam sempre de táxi, e ela nunca pedira que parassem para conhecer o lugar.

Então Maria lembrou-se da sua única amiga, e resolveu ir à biblioteca para lhe dizer que não voltaria mais.

Ficou presa no trânsito por um tempo que parecia uma eternidade, até que os curdos acabassem de se manifestar (de novo!) e os carros pudessem voltar a circular normalmente. Mas agora era de novo dona do seu tempo, e isso não tinha importância.

Chegou quando a biblioteca estava a fechar.

– Pode ser que eu esteja a querer ser demasiado íntima, mas não tenho nenhuma amiga a quem confiar certas coisas – disse a bibliotecária, assim que Maria entrou.

Aquela mulher não tinha amigas? Depois de viver a sua vida inteira no mesmo lugar, encontrar várias pessoas durante o dia, será que não tinha ninguém com quem conversar? Enfim, descobria alguém como ela – ou melhor dizendo, alguém como toda a gente.

– Estive a pensar no que li sobre o clitóris...

"Não! Será que não dá para ser outra coisa?"

– E vi que, embora tivesse sempre muito prazer em todas as relações com o meu marido, demorei muito até ter um orgasmo durante a relação. A menina acha isso normal?

– A senhora acha normal os curdos manifestarem-se todos os dias? As mulheres apaixonadas fugirem do seu príncipe encantado? As pessoas sonharem com fazendas em vez de pensarem em amor? Homens e mulheres venderem o seu tempo, sem poderem comprá-lo de volta?

E, no entanto, tudo isso acontece; de modo que, não importa o eu acho ou deixo de achar, é sempre normal. Tudo aquilo que for contra a natureza, contra os nossos desejos mais íntimos, tudo isso é normal aos nossos olhos, embora pareça uma aberração aos olhos de Deus. Procurámos o nosso inferno, levámos milénios a construí-lo e, depois de muito esforço, podemos finalmente viver da pior maneira possível.

Olhou a mulher à sua frente e, pela primeira vez em todo aquele tempo, perguntou-lhe o seu primeiro nome (conhecia apenas o seu nome de casada). Chamava-se Heidi, era casada há trinta anos, e nunca – nunca! – tinha perguntado a si mesma se era normal não ter um orgasmo durante a relação sexual com o marido.

– Não sei se devia ter lido tudo aquilo! Talvez fosse melhor viver na ignorância, achando que um marido fiel, um apartamento com vista para o lago, três filhos, e um emprego público era tudo o que uma mulher podia sonhar. Agora, desde que a menina chegou aqui, e desde que li o primeiro livro, ando muito preocupada com aquilo em que transformei a minha vida. Será que toda a gente é assim?

– Posso garantir-lhe que é – e Maria sentiu-se uma jovem sábia diante daquela mulher que lhe pedia conselhos.

– Gostaria que eu entrasse em pormenores?

Maria acenou afirmativamente com a cabeça.

– É claro que a menina ainda é muito jovem para compreender estas coisas, mas justamente por isso gostaria de partilhar um pouco da minha vida, para que não cometa os mesmos erros que eu cometi.

»Mas o clitóris, por que será que o meu marido nunca prestou atenção a isso? Achava que o orgasmo era na vagina, e custava-me muito, mas muito mesmo, fingir algo que ele imaginava que eu devia sentir. Claro, eu tinha prazer, mas um prazer diferente. Apenas quando a fricção era na parte superior... está a perceber?

– Estou a perceber.

– E agora descobri porquê. Está ali. – Ela apontou para um livro na sua mesa, cujo título Maria não conseguia ver. – Existe um feixe de nervos que vai do clitóris ao ponto G, e que é predominante. Mas os homens pensam que não, que penetrar é tudo. Você sabe o que é o ponto G?

– Falámos sobre isso no outro dia – disse Maria, desta vez como a Menina Ingénua. – Logo depois de entrar, primeiro andar, janela dos fundos.

– Claro, claro! – Os olhos da bibliotecária iluminaram-se. – Verifique por si mesma quantos dos seus amigos já ouviram falar disso: nenhum ouviu! Que absurdo! Mas assim como o clitóris foi uma invenção do tal italiano, o ponto G é uma conquista do nosso século! Em breve ocupará todas as manchetes, e ninguém mais poderá ignorá-lo! Pode imaginar que momento revolucionário vivemos?

Maria olhou para o relógio, e Heidi deu-se conta de que precisava de falar rapidamente, ensinar àquela menina bonita à sua frente que as mulheres tinham todo o direito de ser felizes, realizadas, de modo que uma próxima geração pudesse beneficiar de todas estas conquistas científicas extraordinárias.

– Freud não estava de acordo porque não era mulher, e como tinha o orgasmo no pénis, achava que éramos obrigadas a ter o prazer na vagina. Temos de voltar à origem, àquilo que sempre nos deu prazer: o clitóris e o ponto G! Muito poucas mulheres conseguem ter uma relação sexual satisfatória, de modo que, se a menina tiver dificuldades em conseguir a alegria que merece, vou sugerir-lhe algo: inverta a posição. Deite o seu namorado e fique sempre por cima; o seu clitóris vai bater com mais força no corpo dele, e a menina – não ele – conseguirá o estímulo de que precisa. Melhor dizendo, o estímulo que merece!

Maria, no entanto, estava apenas a fingir que não prestava atenção à conversa. Então não era apenas ela! Não tinha nenhum problema sexual, era tudo uma questão de anatomia! Sentiu vontade de beijar a mulher à sua frente, enquanto um peso imenso, gigantesco, lhe saía do seu coração. Que bom ter descoberto aquilo ainda jovem! Que dia magnífico estava a viver!

Heidi fez um sorriso conspirador.

– Eles não sabem, mas a gente também tem uma erecção! O clitóris fica erecto!

"Eles" deviam ser os homens. Maria ganhou coragem, já que a conversa estava tão íntima.

– Você já esteve com alguém fora do casamento?

A bibliotecária apanhou um choque. Os olhos emitiram uma espécie de fogo sagrado, a pele ficou vermelha, não podia dizer se de raiva ou de vergonha. Passado algum tempo, porém, a luta entre contar ou fingir terminou. Bastava mudar de assunto.

– Voltemos à nossa erecção: o clitóris! Ele fica rígido, você sabia?

– Desde criança.

Heidi parecia desapontada. Talvez não tivesse prestado muita atenção àquilo. Mesmo assim, resolveu continuar:

– E parece que, se você tocar com o dedo à volta, sem sequer tocar a sua ponta, o prazer pode surgir de maneira mais intensa ainda. Aprenda isso! Os homens que respeitam o corpo de uma mulher, tocam logo no topo do clitóris, sem saber que isso às vezes pode ser doloroso, não concorda? Por isso, depois do primeiro ou segundo encontro, assuma o controlo da situação: fique por cima, decida como e onde a pressão deve ser aplicada, aumente e diminua o ritmo ao seu critério. Além disso, uma conversa franca talvez seja necessária, segundo o livro que estou a ler.

– A senhora teve uma conversa franca com o seu marido?

Mais uma vez Heidi fugiu da pergunta directa, dizendo que eram outros tempos. Agora estava mais interessada em partilhar as suas experiências intelectuais.

– Procure ver o seu clitóris como um ponteiro de relógio, e peça ao seu companheiro para o mover entre as 11 e a 1 hora, compreende?

Sim, sabia do que é que a mulher falava e não concordava muito, embora o livro tão-pouco estivesse longe da verdade total. Mas assim que ela falou em relógio, Maria olhou para o seu, disse que tinha vindo apenas para se despedir, pois o seu estágio tinha terminado. A mulher pareceu não a ouvir.

– Não quer levar este livro sobre o clitóris?

– Não, obrigada. Tenho de pensar noutras coisas.

– E não vai levar nada novo?

– Não. Estou de regresso ao meu país, mas queria agradecer por me ter sempre tratado com respeito e compreensão. Até qualquer dia.

Apertaram as mãos, e desejaram-se mutuamente felicidades.

Heidi esperou que a rapariga saísse, antes de perder o controlo e dar um murro na mesa. Por que não tinha aproveitado o momento para partilhar algo que, do jeito que as coisas iam, acabaria por morrer com ela? Já que a rapariga tivera a coragem de lhe perguntar se algum dia traíra o marido, por que não responder, agora que descobria um mundo novo, em que finalmente as mulheres aceitavam que era muito difícil ter um orgasmo vaginal?

"Bem, isso não é importante. O mundo não é apenas sexo."

Não era a coisa mais importante do mundo, mas era importante, sim. Olhou à sua volta; grande parte daqueles milhares de livros que a cercavam contavam uma história de amor. Sempre a mesma história – alguém que se apaixona, encontra, perde, e volta a encontrar de novo. Almas que comunicam, lugares distantes, aventura, sofrimento, preocupações, e raramente alguém dizia "olhe, meu caro senhor, entenda melhor o corpo da mulher". Por que não falavam os livros abertamente do assunto?

Talvez ninguém estivesse realmente interessado. Porque, no caso do homem, ele continuaria a procurar a novidade – ainda era o troglodita caçador que seguia o instinto de reprodutor da raça humana. E no caso das mulheres? Pela sua experiência pessoal, a vontade de ter um bom orgasmo com o seu companheiro desaparecia nos primeiros anos; depois a frequência diminuía, e nenhuma mulher falava no assunto, porque achava que se passava apenas com ela. E mentiam, fingiam que não aguentavam mais o desejo do marido, que pedia para fazer amor todas as noites. E, ao mentirem, deixavam todas as outras preocupadas.

Depressa se dedicavam a pensar em algo diferente: filhos, cozinha, horários, manutenção da casa, contas a pagar, tolerância com as escapadelas do marido, viagens nas férias em que se preocupavam mais com os filhos do que com eles mesmos, cumplicidade – ou até mesmo em amor, mas nada de sexo.

Devia ter sido mais aberta com a jovem brasileira, que lhe parecia uma rapariga inocente, com idade para ser sua filha, e ainda incapaz de compreender bem o mundo. Uma emigrante, que vivia longe da sua terra, que trabalhava arduamente num trabalho desinteressante, à espera de um homem com quem pudesse casar, fingir alguns orgasmos, encontrar a segurança, reproduzir esta misteriosa raça humana, e esquecer as coisas chamadas orgasmo, clitóris, ponto G (descoberto apenas no século XX!!!). Ser uma boa esposa, uma boa mãe, cuidar para que nada faltasse em casa, masturbar-se às escondidas de vez em quando, pensando no homem que se cruzara com ela na rua e a olhara com desejo. Manter as aparências – por que será que o mundo estava tão preocupado com as aparências?

Por isso não respondera à pergunta:

"Você já esteve com alguém fora do casamento?"

Estas coisas morrem com a gente, pensou. O marido sempre fora o homem da sua vida, embora o sexo fosse coisa do passado remoto. Era um excelente companheiro, honesto, generoso, bem-humorado, lutava para sustentar a família e procurava deixar felizes todos aqueles que estavam sob a sua responsabilidade. O homem ideal, com que todas as mulheres sonham, e justamente por isso se sentia tão mal ao pensar que um dia desejara e estivera com outro homem.

Lembrava-se de como o tinha encontrado. Regressava da cidadezinha de Davos, nas montanhas, quando uma avalanche de neve interrompeu por algumas horas a circulação dos comboios. Telefonou, pediu-lhes para não ficarem preocupados, comprou algumas revistas e preparou-se para uma longa espera na estação.

Foi quando viu um homem ao seu lado, com uma mochila e um saco de dormir. Tinha os cabelos grisalhos, a pele queimada do Sol, era o único que parecia não estar preocupado com o atraso; muito pelo contrário, sorria e olhava à sua volta, esperando encontrar alguém para conversar. Heidi abriu uma das revistas, mas – ah vida misteriosa! – os seus olhos encontraram rapidamente os dele, e não conseguiu desviar-se suficientemente depressa para evitar que ele se aproximasse.

Antes que ela pudesse – educadamente – dizer que realmente queria acabar de ler um artigo importante, ele começou a falar. Disse-lhe que era um escritor, regressava de um encontro na cidade, e que o atraso do comboio faria com que perdesse o voo de volta para o seu país. Quando chegassem a Genève, podia ajudá-lo a encontrar um hotel?

Heidi olhava-o: como é que alguém podia estar tão bem-humorado depois de perder um voo e ter de ficar à espera numa desconfortável estação de comboios até que as coisas se resolvessem?

Mas o homem começou a falar, como se fossem velhos amigos. Falou-lhe nas suas viagens, no mistério da criação literária e, para seu espanto e horror, falou-lhe de todas as mulheres que tinha amado e encontrado ao longo da sua vida. Heidi apenas fazia que "sim" com a cabeça, e ele continuava. De vez em quando, pedia desculpa por falar tanto, e pedia-lhe para falar um pouco de si mesma, mas tudo o que ela tinha para dizer era "Sou uma pessoa comum, sem nada de extraordinário".

De repente, ela viu-se a desejar que o comboio não chegasse nunca, aquela conversa era muito interessante, descobria coisas que só tinham entrado no seu mundo através dos romances de ficção. E como nunca mais voltaria a vê-lo, ganhou coragem (mais tarde não saberia explicar porquê) e começou a fazer perguntas sobre assuntos que a interessavam. Estava a viver uma época difícil no seu casamento, o marido reclamava muito a sua presença, e Heidi quis saber o que podia fazê-lo feliz. O homem deu-lhe algumas explicações interessantes, contou-lhe uma história, mas não parecia muito contente em falar do marido.

"A senhora é uma mulher muito interessante", disse, usando uma frase que há muitos anos ela não ouvia.

Heidi não soube como reagir, ele percebeu o seu embaraço, e começou a falar de desertos, montanhas, cidades perdidas, e mulheres cobertas com véus, ou de cintura desnuda, guerreiros, piratas e sábios.

O comboio chegou. Sentaram-se lado a lado, e agora ela já não era a mulher casada, com um chalé em frente do lago, e três filhos para criar, mas uma aventureira, que chegava a Genève pela primeira vez. Olhava as montanhas, o rio, e sentia-se contente por estar ao lado de um homem que a queria levar para a cama (porque os homens só pensam nisso), que fazia o possível para a impressionar. Pensou em quantos outros homens tinham sentido a mesma coisa, e a quem nunca dera qualquer oportunidade – mas naquela manhã o mundo tinha mudado, era uma adolescente de 38 anos que assistia deslumbrada às tentativas dele de a seduzir.

No Outono prematuro da sua vida, quando pensava que já tinha tudo o que podia esperar, aparecia aquele homem na estação de comboios e entrava sem pedir licença. Desembarcaram em Genève, ela arranjou-lhe um hotel (modesto, insistira ele, porque devia partir naquela manhã, e não estava prevenido para um dia a mais na caríssima Suíça), pediu que fosse até ao quarto com ele, para ver se estava tudo em ordem. Heidi sabia o que a esperava, e mesmo assim aceitou a proposta. Fecharam a porta, beijaram-se com violência e desejo, ele arrancou-lhe a roupa, e – meu Deus! – conhecia o corpo de uma mulher, porque conhecera o sofrimento ou a frustração de muitas.

Fizeram amor a tarde inteira, e só quando a noite começou a chegar é que o encanto se dissipou, e ela disse a frase que gostaria de nunca ter pronunciado:

"Devo regressar, o meu marido espera-me."

Ele acendeu um cigarro, ficaram em silêncio por alguns minutos, e nenhum dos dois disse "adeus". Heidi levantou-se e saiu sem olhar para trás, sabendo que, não importava o que dissessem, nenhuma palavra ou frase teria sentido.

Nunca mais o voltaria a ver, mas, no Outono da sua desesperança, por algumas horas, tinha deixado de ser a esposa fiel, dona de casa, mãe amorosa, funcionária exemplar, amiga constante – e voltado a ser simplesmente mulher.

Durante alguns dias, o marido comentou que ela tinha mudado, estava mais alegre ou mais triste – ele não sabia descrevê-lo exactamente. Uma semana depois, as coisas tinham voltado ao normal.

"Que pena não ter contado isto à menina", disse para si mesma. "De qualquer maneira, ela não perceberia nada, ainda vive num mundo onde as pessoas são fiéis e as juras de amor duram para sempre."

Do Diário de Maria:

Não sei o que ele deve ter pensado quando abriu a porta, naquela noite, e me viu com duas malas.

– Não te assustes – comentei imediatamente. – Não estou a mudar-me para cá. Vamos jantar.

Ajudou-me, sem qualquer comentário, a colocar a minha bagagem dentro de casa. Em seguida, antes de dizer "o que é isso" ou "que alegria apareceres", simplesmente agarrou-me, e começou a beijar-me, a tocar no meu corpo, nos meus seios, no meu sexo, como se tivesse esperado demasiado tempo e agora pressentisse que talvez o momento não chegasse nunca.

Tirou-me o casaco, o vestido, deixou-me nua, e foi ali no hall de entrada, sem qualquer ritual ou preparação, sem mesmo tempo para dizer o que seria bom ou mau, com o vento frio entrando por baixo da fresta da porta, que fizemos amor pela primeira vez. Eu pensei que talvez devesse dizer-lhe que parasse, que fôssemos para um lugar mais confortável, que esperasse para termos tempo de explorar o imenso mundo da nossa sensualidade, mas ao mesmo tempo queria-o dentro de mim, porque era o homem que eu nunca possuíra, e nunca possuiria. Por isso eu podia amá-lo com toda a minha energia, ter pelo menos por uma noite aquilo que nunca tivera antes, e que possivelmente nunca teria depois.

Deitou-me no chão, entrou dentro de mim antes que eu estivesse completamente molhada, mas a dor não me incomodou – pelo contrário, eu gostei que fosse assim, porque devia entender que eu era sua, e não precisava de pedir licença. Não estava ali para me en-

sinar mais nada, ou para mostrar como a minha sensibi-
lidade era melhor ou mais intensa do que a das outras
mulheres, apenas para lhe dizer que sim, que era bem-
-vindo, que eu também o esperava, que me alegrava
muito o seu total desrespeito pelas regras que tínhamos criado entre nós, e agora exigia que apenas os nossos instintos, macho e fêmea, nos guiassem. Estávamos
na posição mais convencional possível – eu em baixo,
de pernas abertas, e ele em cima, entrando e saindo,
enquanto eu o olhava, sem vontade de fingir, de gemer,
de nada – apenas queria manter os olhos abertos, e tentar memorizar cada segundo, ver o seu rosto transformar-se, as suas mãos que agarravam os meus cabelos,
a sua boca que me mordia, me beijava. Nada de prelimi-
nares, de carícias, de preparação, de sofisticação, apenas ele dentro de mim, e eu na sua alma.

Entrava e saía, aumentava e diminuía o ritmo,
parava às vezes para me olhar também, mas não perguntava se eu estava a gostar, porque sabia que esta
era a única maneira de as nossas almas comunicarem
naquele momento. O ritmo aumentou, e eu sabia que
os onze minutos chegavam ao fim, queria que continuasse para sempre, porque era tão bom – ah meu
Deus, como era bom – ser possuída e não possuir! Tudo
de olhos bem abertos, e eu notei que, quando já não
víamos mais nada, parecíamos ir para uma outra di-
mensão, onde eu era a grande mãe, o Universo, a mulher amada, a prostituta sagrada dos antigos rituais
que ele me tinha explicado com um copo de vinho e
uma lareira acesa. Vi o seu orgasmo chegar, e os seus
braços seguraram os meus com força, os movimentos
aumentaram de intensidade, e foi então que ele gritou

– não gemeu, não cerrou os dentes, mas gritou! Berrou! Urrou como um animal! No fundo da minha cabeça passou rapidamente o pensamento de que a vizinhança talvez chamasse a polícia, mas isso não tinha importância, e eu senti um imenso prazer, porque era assim desde o início dos tempos, quando o primeiro homem encontrou a primeira mulher e fizeram amor pela primeira vez: eles gritaram.

Depois o seu corpo desabou sobre mim, e não sei quanto tempo ficámos abraçados um ao outro, eu acariciei os seus cabelos como só o tinha feito na noite em que nos trancámos na escuridão do hotel, vi o seu coração acelerado a pouco e pouco voltar ao normal, as suas mãos começaram delicadamente a passear pelos meus braços, e aquilo fez com que todos os pêlos do meu corpo ficassem arrepiados.

Deve ter pensado em algo prático – como o peso do seu corpo em cima do meu – porque rolou para o lado, segurou nas minhas mãos, e ficámos os dois a olhar o tecto e o lustre de três lâmpadas acesas.

– Boa-noite – disse-lhe eu.

Ele puxou-me, e fez com que apoiasse a cabeça no seu peito. Ficou a acariciar-me por muito tempo, antes de também dizer "Boa-noite".

– A vizinhança deve ter ouvido tudo – comentei, sem saber como íamos continuar, porque dizer "amo-te" naquele momento não fazia muito sentido, ele já sabia, e eu também.

– Está a entrar uma corrente de ar frio por baixo da porta – foi a sua resposta, quando também gostaria de ter dito "Que maravilha!"

– Vamos para a cozinha.

Levantámo-nos, e vi que ele nem sequer tinha tirado as calças, estava vestido como quando o encontrei, apenas com o sexo do lado de fora. Pus o meu casaco sobre o corpo nu. Fomos para a cozinha, ele preparou um café, fumou dois cigarros, eu fumei um. Sentados na mesa, ele dizia "Obrigado" com os olhos, eu respondia "Também quero agradecer", mas as nossas bocas mantinham-se fechadas.

Finalmente, ele ganhou coragem e perguntou pelas malas.

— Volto para o Brasil amanhã ao meio-dia.

Uma mulher percebe quando um homem é importante para ela. Será que eles também são capazes deste tipo de compreensão? Ou eu teria de dizer "Amo-te, gostaria de continuar aqui contigo, pede-me para ficar."

— Não vás. — Sim, ele tinha compreendido que me podia dizer isso.

— Vou. Fiz uma promessa.

Porque, se não tivesse feito, talvez acreditasse que aquilo tudo era para sempre. E não era, era parte de um sonho de uma rapariga do interior de um país distante, que vai para a cidade grande (não tão grande assim, para falar a verdade), passa por mil dificuldades, mas encontra o homem que a ama. Então, este era o final feliz para todos os momentos difíceis que passei, e sempre que eu me lembrasse da minha vida na Europa, acabaria com a história de um homem apaixonado por mim, que seria sempre meu, já que eu visitara a sua alma.

Ah, Ralf, não sabes o quanto te amo. Penso que talvez nos apaixonemos sempre no momento em que *olhamos o homem dos nossos sonhos pela primeira vez, embora a razão naquele momento diga que estamos erradas, e passemos a lutar – sem vontade de vencer – contra esse instinto. Até que chega o momento em que nos deixamos vencer pela emoção, e isso aconteceu naquela noite, quando eu caminhei descalça pelo parque, sofrendo dor e frio, mas percebendo o quanto tu me querias.*

Sim, amo-te muito, como nunca amei outro homem, e justamente por isso vou-me embora, porque se ficasse o sonho transformar-se-ia em realidade, vontade de possuir, de desejar que a tua vida seja minha... enfim, de todas essas coisas que acabam por transformar o amor em escravidão. Melhor assim: o sonho. Temos de ser cuidadosos com aquilo que levamos de um país – ou da vida.

— Tu não tiveste orgasmo — disse ele, tentando mudar de assunto, ser cuidadoso, não forçar uma situação. Estava com medo de me perder, e pensava que ainda tinha a noite inteira para me fazer mudar de opinião.

— Não tive orgasmo, mas tive um imenso prazer.

— Mas seria melhor se tivesses um orgasmo.

— Eu podia ter fingido, apenas para te deixar feliz, mas tu não o mereces. Tu és um homem, Ralf Hart, em tudo o que esta palavra pode ter de belo e de intenso. Soubeste apoiar-me e ajudar-me, aceitaste que eu te apoiasse e te ajudasse, sem que isso significasse humilhação. Sim, eu gostaria de ter tido um orgasmo, mas não tive. Porém, adorei o chão frio, o teu corpo quente, a violência consentida com que entraste em mim.

»Hoje fui devolver os livros que ainda tinha comigo, e a bibliotecária perguntou-me se eu conversava com o meu parceiro a respeito de sexo. Fiquei com vontade de dizer: qual parceiro? Qual tipo de sexo? Mas ela não merecia, foi sempre um anjo comigo.

»Na verdade, tive apenas dois parceiros desde que cheguei a Genève: um que despertou o pior de mim mesma, porque eu o permiti – e até implorei. O outro, tu, que me fez sentir de novo como parte do mundo. Eu gostava de poder ensinar-te onde deves tocar o meu corpo, qual a intensidade, por quanto tempo, e sei que verias isso não como uma recriminação, mas como uma possibilidade de as nossas almas comunicarem melhor. A arte do amor é como a tua pintura, requer técnica, paciência, e sobretudo prática entre o casal. Requer ousadia, é preciso ir além daquilo que as pessoas convencionaram chamar "fazer amor".

Pronto. A professora tinha voltado, e eu não queria aquilo, mas Ralf soube dar um jeito à situação. Em vez de aceitar o que eu dizia, acendeu o seu terceiro cigarro em menos de meia hora:

– Em primeiro lugar, hoje vais passar a noite aqui.

Não era um pedido, era uma ordem.

– Em segundo lugar, faremos amor de novo, com menos ansiedade, e mais desejo.

»Finalmente, gostava que tu também percebesses melhor os homens.

Perceber melhor os homens? Eu passava todas as noites com eles, brancos, negros, asiáticos, judeus, muçulmanos, budistas. Ralf não sabia disso?

Senti-me mais leve; que bom que a conversa caminhava para uma discussão. Em determinado momento, eu chegara a pensar em pedir perdão a Deus e quebrar a minha promessa. Mas ali estava a realidade

de volta, para me dizer que não me esquecesse de man-
ter o meu sonho intacto, e que não me deixasse cair
nas armadilhas do destino.

– Sim, perceber melhor os homens – repetiu Ralf,
ao ver o meu ar irónico. – Falas em expressar a tua
sexualidade feminina, em me ajudar a navegar pelo
teu corpo, a ter paciência, tempo. Estou de acordo, mas
já te ocorreu que nós somos diferentes, pelo menos em
matéria de tempo? Por que não reclamas com Deus?

»Quando nos encontrámos, eu pedi-te para me
ensinares sobre sexo, porque o meu desejo tinha desa-
parecido. Sabes porquê? Porque depois de alguns anos
de vida, toda e qualquer relação sexual minha acabava
em tédio ou frustração, já que eu percebera que era
muito difícil dar às mulheres que amei o mesmo prazer
que elas me davam.

Eu não gostei do "as mulheres que amei", mas
fingi indiferença, embora acendesse um cigarro.

– Eu não tinha coragem de pedir: ensina-me o teu
corpo. Mas quando te encontrei, vi a tua luz, e amei-te
imediatamente, pensei que nesta altura da vida já não
tinha mais nada a perder ao ser honesto comigo – e
com a mulher que queria ter ao meu lado.

O meu cigarro ficou delicioso, e eu gostaria mui-
to que ele me oferecesse um pouco de vinho, mas não
queria deixar o assunto morrer.

– Por que é que os homens, ao contrário de faze-
rem isso que tu fizeste comigo, descobrir como me sin-
to, só pensam em sexo?

– Quem te disse que só pensamos em sexo? Pelo
contrário: passamos anos da nossa vida a tentar fazer-
-nos acreditar que o sexo é importante para nós. Apren-

demos o amor com prostitutas ou com virgens, conta-
mos os nossos casos a todos os que nos queiram ouvir,
desfilamos com amantes jovens quando somos mais velhos, tudo para mostrar aos outros que sim, que somos
aquilo que as mulheres esperam que sejamos.

»Mas queres saber uma coisa? Não é nada disso.
Não entendemos nada. Achamos que sexo e ejaculação
são a mesma coisa e, como acabaste de dizer, não são.
Não aprendemos, porque não temos coragem de dizer
à mulher: ensina-me o teu corpo. Não aprendemos porque a mulher tão-pouco tem coragem de dizer: aprende como sou. Ficamos no primitivo instinto de sobre-
vivência da espécie, e é assim. Por mais absurdo que
pareça, sabes o que é mais importante do que o sexo
para um homem?

Eu pensei que talvez fosse dinheiro ou poder, mas
não disse nada.

— Desporto. E sabes porquê? Porque um homem
entende o corpo de outro homem. Ali, no desporto, ve-
mos o diálogo de corpos que se entendem.

— Estás louco.

— Pode ser. Mas faz sentido. Já paraste para saber
o que os homens com quem estiveste na cama sentiam?

— Sim, parei: todos se sentiam inseguros. Sentiam
medo.

— Pior que medo. Eram vulneráveis. Não percebiam
bem o que estavam a fazer, apenas sabiam que a sociedade, os amigos e as próprias mulheres diziam que era
importante. "Sexo, sexo, sexo", essa é a base da vida,
gritam a publicidade, as pessoas, os filmes, os livros.
Ninguém sabe do que falam. Sabem — já que o instinto
é mais forte que todos nós — que aquilo tem de ser feito.
Pronto.

*Chega. Eu tentara dar lições de sexo para me prote-
ger, ele fazia o mesmo, e por mais que as nossas palavras fossem sábias – já que um queria sempre impressionar o outro –, isso era tão estúpido, tão indigno
da nossa relação! Eu puxei-o para mim, porque – independentemente do que ele tinha para dizer, ou do
que eu pensasse a respeito de mim mesma – a vida já
me ensinara muita coisa. No início dos tempos, tudo
era amor, tudo era entrega. Mas logo em seguida, a
serpente aparece a Eva e diz: o que entregaste, tu o
perderás. Assim foi comigo – fui expulsa do paraíso
ainda na escola, e desde então procurei uma maneira
de dizer à serpente que ela estava errada, que viver era
mais importante do que guardar para si. Mas a serpente
estava certa, e eu estava errada.*

*Ajoelhei-me, tirei-lhe lentamente a roupa, e vi que
o seu sexo estava ali, dormente, sem reagir. Ele parecia
não se importar com isso, e eu beijei-lhe a parte interior
das pernas, começando pelos pés. O sexo começou a
reagir lentamente, e eu toquei-o, depois coloquei-o na
minha boca, e – sem pressa, sem que ele interpretasse
isso como "vamos, prepara-te para agir!" – beijei-o com
o carinho de quem não espera nada, e justamente por
isso consegui tudo. Vi que ficava excitado, e começou a
tocar nos bicos dos meus seios, girando-os como naquela noite de total escuridão, deixando-me com vontade de tê-lo de novo entre as minhas pernas, ou na minha
boca, ou como desejasse ou quisesse possuir-me.*

*Ele não me tirou o casaco; fez com que eu me in-
clinasse de bruços sobre a mesa, com as pernas ainda
apoiadas no chão. Penetrou-me lentamente, desta vez
sem ansiedade, sem medo de me perder – porque no*

fundo também ele já tinha percebido que aquilo era um sonho, e ia permanecer para sempre como um sonho, jamais como realidade.

Ao mesmo tempo que sentia o seu sexo dentro de mim, sentia também a sua mão nos seios, nas nádegas, tocando-me como só uma mulher sabe fazer. Então percebi que éramos feitos um para o outro, porque ele conseguia ser mulher como agora, e eu conseguia ser homem como quando conversámos ou nos iniciámos mutuamente no encontro das duas almas perdidas, dos dois fragmentos que faltavam para completar o Universo.

À medida que ele me penetrava e me tocava, senti que não o fazia apenas a mim, mas a todo o Universo. Tínhamos tempo, ternura e conhecimento um do outro. Sim, tinha sido óptimo chegar com duas malas, o desejo de partir, ser imediatamente deitada no chão e penetrada com violência e medo; mas também era bom saber que a noite não acabaria nunca, e agora ali, na mesa da cozinha, o orgasmo não era o fim em si, mas o início deste encontro.

O seu sexo ficou imóvel dentro de mim, enquanto os seus dedos se moviam rapidamente, e eu tive o primeiro, depois o segundo e o terceiro orgasmo seguidos. Tinha vontade de o empurrar, a dor do prazer é tão grande que magoa, mas aguentei firmemente, aceitei que era assim, que eu podia aguentar mais um orgasmo, ou mais dois, ou mais...

... e de repente, uma espécie de luz explodiu dentro de mim. Já não era eu mesma, mas um ser infinitamente superior a tudo o que eu conhecia. Quando a sua mão me levou ao quarto orgasmo, entrei num lugar onde tudo parecia em paz, e no meu quinto orgas-

mo conheci Deus. Então senti que ele recomeçava a mexer o seu sexo dentro do meu, embora a sua mão não tivesse parado, e disse "meu Deus", entreguei-me a qualquer coisa, fosse o inferno ou o paraíso.

Mas era o paraíso. Eu era a terra, as montanhas, os tigres, os rios que corriam para os lagos, os lagos que se transformavam em mar. Ele movia-se cada vez mais rapidamente, e a dor misturava-se com prazer, eu podia dizer "não aguento mais", mas não seria justo – porque nesta altura, eu e ele éramos a mesma pessoa.

Deixei que me penetrasse pelo tempo que fosse necessário, as suas unhas agora estavam cravadas nas minhas nádegas, e eu ali de bruços, na mesa da cozinha, pensando que não existia melhor lugar no mundo para fazer amor. De novo o ruído da mesa, a respiração cada vez mais rápida, as unhas magoando-me, e o meu sexo batendo com força no sexo dele, carne com carne, osso com osso, eu ia de novo para um orgasmo, ele ia também, e nada disso – nada disso era MENTIRA!

– Vamos!

Ele sabia o que dizia, e eu sabia que era o momento, senti que o meu corpo todo afrouxava, eu deixava de ser eu mesma – já não ouvia, via, provava o gosto de nada – apenas sentia.

– Vamos!

E eu fui, com ele. Não foram onze minutos, mas uma eternidade, era como se os dois saíssemos do corpo e caminhássemos, em profunda alegria, compreensão e amizade, pelos jardins do paraíso. Eu era mulher e homem, ele era homem e mulher. Não sei quanto tempo durou, mas tudo parecia estar em silêncio, em oração, como se o

Universo e a vida deixassem de existir e se transformassem em algo sagrado, sem nome, sem tempo.

Mas logo o tempo voltou, eu ouvi os seus gritos e gritei com ele, os pés da mesa batiam com força no chão, e a nenhum de nós dois ocorreu perguntar ou saber o que o resto do mundo pensava.

E ele saiu de mim sem qualquer aviso, e ria, senti o meu sexo contrair-se, virei-me para ele e ria também, abraçámo-nos como se fosse a primeira vez que tivéssemos feito amor nas nossas vidas.

– Abençoa-me – pediu.

Eu abençoei-o, sem saber o que estava a fazer. Pedi-lhe que fizesse o mesmo, e ele fez, dizendo "Abençoada seja esta mulher, que muito amou". As suas palavras eram lindas, voltámos a abraçar-nos e ali ficámos, sem perceber como onze minutos podem levar um homem e uma mulher a tudo isto.

Nenhum dos dois estava cansado. Fomos até à sala, ele pôs um disco a tocar e fez exactamente o que eu esperava: acendeu a lareira e serviu-me vinho. Em seguida abriu um livro e leu:

"Tempo para nascer e tempo para morrer.
Tempo para plantar e tempo para arrancar a planta.
Tempo para matar e tempo para curar.
Tempo para destruir e tempo para construir.
Tempo para chorar e tempo para rir.
Tempo para gemer e tempo para bailar.
Tempo para atirar pedras e tempo para recolher
                                    pedras.
Tempo para abraçar e tempo para se separar.
Tempo para ganhar e tempo para perder.

Tempo para guardar e tempo para deitar fora.
Tempo para rasgar e tempo para coser.
Tempo para calar e tempo para falar.
Tempo para amar e tempo para odiar.
Tempo para guerra e tempo para paz."

Aquilo soava como uma despedida. Mas era a mais linda de todas as que eu podia experimentar na minha vida.

Abracei-o, ele abraçou-me, deitámo-nos no tapete ao lado da lareira. A sensação de plenitude ainda continuava, como se eu tivesse sempre sido uma mulher sábia, feliz, realizada na vida.

— Como é que pudeste apaixonar-te por uma prostituta?

— Na altura, não entendi. Mas hoje, pensando um pouco, acredito que ao saber que o teu corpo nunca seria apenas meu, eu podia concentrar-me em conquistar a tua alma.

— E os ciúmes?

— Não se pode dizer à Primavera: "Tomara que chegues logo e que dures bastante." Pode-se apenas dizer: "Vem, e abençoa-me com a tua esperança, e fica o máximo de tempo que puderes."

Palavras soltas ao vento. Mas eu precisava de ouvir, e ele precisava de dizer. Dormi sem saber exactamente quando. Sonhei, não com uma situação ou com uma pessoa, mas com um perfume que inundava tudo.

Quando Maria abriu os olhos, alguns raios de Sol já começavam a entrar pelas persianas abertas.

"Fiz duas vezes amor com ele", pensou, olhando para o homem adormecido ao seu lado. "E, no entanto, parece que estivemos sempre juntos e que ele conheceu sempre a minha vida, a minha alma, o meu corpo, a minha luz, a minha dor."

Levantou-se para ir à cozinha fazer um café. Foi então que viu as duas malas no corredor, e se lembrou de tudo: da promessa, da oração na igreja, da sua vida, do sonho que insiste em transformar-se em realidade e perder o seu encanto, do homem perfeito, do amor onde corpo e alma eram a mesma coisa, e prazer e orgasmo eram coisas diferentes.

Podia ficar; não tinha mais nada a perder na vida, apenas mais uma ilusão. Lembrou-se do poema: *tempo para chorar e tempo para rir.*

Mas havia outra frase: *tempo para abraçar e tempo para se separar.* Preparou o café, fechou a porta da cozinha, telefonou e chamou um táxi. Reuniu toda a sua força de vontade, que a levara tão longe, a fonte de energia da sua "luz", que lhe dissera a hora exacta de partir, que a protegia, que a faria guardar para sempre a lembrança daquela noite. Vestiu-se, pegou nas suas malas e saiu, desejando que ele acordasse e lhe pedisse para ficar.

Mas ele não acordou. Enquanto esperava o táxi, do lado de fora, uma cigana passou com um ramo de flores.

– Quer comprar uma?

Maria comprou; era o sinal de que o Outono tinha chegado, o Verão estava para trás. Genève já não teria, por muito tempo, as mesas nas calçadas e os parques cheios de gente passeando e apanhando Sol. Não fazia mal; ia--se embora porque essa era a sua escolha, e não havia de que se lamentar.

Chegou ao aeroporto, tomou outro café e ficou quatro horas à espera do voo para Paris, pensando sempre que ele iria entrar a qualquer momento, já que, em algum momento antes de dormir, dissera a hora da sua partida. Assim era nos filmes: no momento final, quando a mulher está quase a entrar no avião, o homem aparece desesperado, agarra-a, dá-lhe um beijo e trá-la de volta para o seu mundo, sob o olhar risonho e complacente dos funcionários da companhia aérea. Entra o letreiro "Fim", e todos os espectadores sabem que, a partir dali, viverão felizes para sempre

"Os filmes nunca contam o que acontece depois", dizia a si mesma, tentando consolar-se. Casamento, cozinha, filhos, um sexo cada vez mais inconstante, a descoberta do primeiro bilhete da amante, decidir, fazer um escândalo, ouvir promessas de que não o fará de novo, o segundo bilhete de uma outra amante, outro escândalo e a ameaça de separação, desta vez o homem não reage com tanta segurança, apenas diz que a ama. O terceiro bilhete, da terceira amante, e então a escolha de ficar calada, fingindo que já não sabe, porque pode ser que ele diga que já não a ama, que é livre para partir.

Não, os filmes não contam isso. Acabam antes de o verdadeiro mundo começar. É melhor não ficar a pensar.

Leu uma, duas, três revistas. Finalmente, anunciaram o seu voo, depois de quase uma eternidade naquele saguão de aeroporto, e embarcou. Ainda imaginou a famosa cena de, assim que aperta o cinto, sentir a mão no seu ombro, olhar para trás e ali está ele, sorrindo.

E nada aconteceu.

Dormiu durante o curto trecho que separava Genève de Paris. Não teve tempo de pensar no que diria em casa, qual a história que contaria – mas com toda a certeza os seus pais ficariam contentes, sabendo que tinham a filha de volta, uma fazenda e uma velhice confortável.

Acordou com a sacudidela da aterragem. O avião andou pela pista durante muito tempo, a hospedeira de bordo veio dizer que tinha de ir para outro terminal, o voo para o Brasil saía do Terminal F e ela estava no Terminal C. Mas que não se preocupasse, não havia atrasos, ainda tinha muito tempo, e se tivesse alguma dúvida o pessoal de terra ajudava-a a encontrar o caminho.

Enquanto o aparelho se aproximava do local do desembarque, pensou se valia a pena passar um dia naquela cidade, apenas para tirar umas fotos e contar aos outros que conhecera Paris. Precisava de tempo para pensar, estar sozinha consigo mesma, esconder bem fundo as lembranças da noite anterior, de modo que pudesse usá-las sempre que precisasse de se sentir viva. Sim, Paris era uma excelente ideia; perguntou à hospedeira quando sairia o próximo voo para o Brasil, se resolvesse não embarcar naquele dia.

A hospedeira pediu-lhe o seu bilhete, lamentou muito, mas era uma tarifa que não permitia esse tipo de escalas. Maria consolou-se a si mesma, pensando que ver uma cidade tão linda sozinha iria deixá-la deprimida. Estava a conseguir manter o seu sangue-frio, a sua força de vontade, não ia estragar tudo com uma bela paisagem e as saudades de uma pessoa.

Desembarcou, passou pelo controlo da polícia, a sua bagagem seguiria directamente para o outro avião, não havia com o que se preocupar. As portas abriram-se, os passageiros saíam e abraçavam-se a quem os esperava, a mulher, a mãe, os filhos. Maria fingiu que nada daquilo era com ela, ao mesmo tempo que pensava de novo na sua solidão; só que desta vez tinha um segredo, um sonho, não era tão amarga, e a vida seria mais fácil.

– Teremos sempre Paris.

Não era um guia turístico. Não era um motorista de táxi. As suas pernas tremeram quando ouviu a voz.

– Teremos sempre Paris?

– É a frase de um filme que adoro. Gostarias de ver a Torre Eiffel?

Gostaria, sim. Gostaria muito. Ralf tinha um ramo de rosas, e os olhos cheios de luz, a luz que ela vira no primeiro dia, quando a pintava enquanto o vento frio fazia com que se sentisse incomodada por estar ali.

– Como chegaste aqui antes de mim? – perguntou apenas pela surpresa, a resposta não tinha o menor interesse, mas precisava de algum tempo para respirar.

– Vi-te a ler uma revista. Podia ter chegado perto, mas sou romântico, incuravelmente romântico, e achei que seria melhor apanhar a primeira ligação para Paris, passear um pouco pelo aeroporto, esperar três horas, consultar um sem-número de vezes os horários dos voos, comprar as tuas flores, dizer a frase de *Casablanca*, e imaginar a tua cara de surpresa. E ter a certeza de que era isso o que tu querias, que me esperavas, que toda a determinação e vontade do mundo não bastam para impedir que o amor mude as regras do jogo de uma hora para a outra. Não custa nada ser romântico como nos filmes, não achas?

Não sabia se custava ou não, mas o preço agora era o que menos lhe importava – mesmo sabendo que acabara de conhecer aquele homem, tinham feito amor pela primeira vez há poucas horas, fora apresentada aos seus amigos na véspera, sabia que ele já tinha frequentado a *boîte* onde trabalhava e que fora casado duas vezes. Não eram credenciais impecáveis. Por outro lado, ela tinha dinheiro para comprar uma fazenda, a juventude pela frente, uma grande experiência de vida, uma grande independência de alma. Mesmo assim, como o destino escolhia sempre por ela, achou que mais uma vez podia correr o risco.

Deu-lhe um beijo, sem nenhuma curiosidade de saber o que se passa depois de escreverem "Fim" na tela do cinema. Mas, se algum dia alguém decidisse contar a sua história, ia pedir que começasse como os contos de fadas, onde se diz:

Era uma vez...

Nota Final

Como acontece a todas as pessoas do mundo – e neste caso não tenho o menor receio de generalizar – foi difícil descobrir o sentido sagrado do sexo. A minha juventude coincidiu com uma época de extrema liberdade nessa área, com descobertas importantes e muitos excessos, seguida de um perído conservador, repressivo, preço a ser pago por exageros que realmente deixaram sequelas um pouco duras.

Na década dos excessos (estamos a falar dos anos 70), o escritor Irving Wallace escreveu um livro sobre a censura americana, usando para isso as manobras jurídicas que visavam impedir a publicação de um texto sobre sexo: *Os Sete Minutos*.

No romance de Wallace, o livro que é motivo da discussão sobre a censura é apenas insinuado, e o tema da sexualidade raramente aparece. Fiquei a pensar no que conteria o tal livro proibido; quem sabe poderia tentar escrevê-lo?

Acontece que, no romance de Wallace, se fazem muitas referências ao tal livro inexistente, e isso acabou por limitar – e impossibilitar – a tarefa que eu tinha imaginado. Ficou apenas a lembrança do título (onde acho que Wallace foi muito conservador em relação ao tempo, e resolvi ampliá-lo) e a ideia de que era importante abordar a sexualidade de uma maneira séria – o que, aliás, já foi feito por muitos escritores.

Em 1997, logo depois de terminar uma conferência em Mantova (Itália), encontrei no hotel onde estava hospedado um manuscrito que tinham deixado na portaria. Não leio manuscritos, mas li aquele – a história real de uma prostituta brasileira, os seus casamentos, as suas dificuldades com a lei, as suas aventuras. Em 2000, ao passar por Zurique, contactei a tal prostituta – cujo nome de guerra é Sonia – e disse que tinha gostado do seu texto. Recomendei-lhe que o enviasse à minha editora brasileira, que decidiu não o publicar. Sonia, que então tinha fixado residência em Itália, apanhou um comboio e foi encontrar-se comigo em Zurique. Convidou-nos – a mim, a um amigo e a uma repórter do jornal *Blick*, que acabara de me entrevistar – para ir até Langstrasse, a zona de prostituição local. Eu não sabia que ela já tinha prevenido as suas colegas a respeito da nossa visita, e para minha surpresa acabei por dar vários autógrafos em livros meus, em diversas línguas.

Por esta altura, eu já estava decidido a escrever sobre sexo, mas ainda não tinha nem o roteiro, nem a personagem principal; pensava em algo muito mais dirigido para a busca convencional do sagrado, mas aquela visita a Langstrasse ensinou-me: para escrever sobre o lado sagrado, era necessário perceber porque tinha ele sido tão profanado.

Em conversa com um jornalista da revista *L'Illustrée* (Suíça), contei a história da improvisada noite de autógrafos em Langstrasse e ele publicou uma grande reportagem a esse respeito. O resultado foi que, durante uma conferência em Genève, várias prostitutas apareceram com os seus livros. Uma delas chamou em especial a minha atenção, e saímos – com a minha agente e amiga Mônica Antunes – para tomar um café, que se transformou em jantar, que se transformou noutros encontros nos dias seguintes. Ali nascia o fio condutor de *Onze Minutos*.

Quero agradecer a Anna Von Planta, a minha editora suíça, que me ajudou fornecendo-me dados importantes sobre a situação legal das prostitutas no seu país. Às seguintes mulheres de Zurique (nomes de guerra): Sonia, que encontrei pela primeira vez em Mantova (quem sabe alguém um dia se interesse pelo seu livro!), Martha, Antenora e Isabella. Em Genève (também nomes de guerra): Amy, Lucia, Andrei, Vanessa, Patrick, Therése, Anna Christina.

Agradeço também a Antonella Zara, que me permitiu usar trechos do seu livro *A Ciência da Paixão*, para ilustrar algumas partes do diário de Maria.

Finalmente, agradeço a Maria (nome de guerra), que reside actualmente em Lausanne, é casada e tem duas belas filhas, e que nos nossos vários encontros partilhou comigo e com Mônica a sua história, na qual este livro se baseia.

PAULO COELHO, Inverno/Primavera 2002

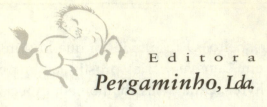

E d i t o r a

Pergaminho, Lda.

Rua da Alegria, n.º 486-A • Amoreira
2645-167 CASCAIS • Portugal
Tel. (351) 21 464 61 10 a 19 • Fax (351) 21 467 40 08
e-mail: pergaminho@mail.telepac.pt

Distribuição e vendas:

Pergaminho Distribuidora de Livros e Audiovisuais, Lda.
Tel. 21 465 88 30 a 39 • Fax 21 467 40 00
e-mail: virtualpergaminho@ip.pt

N.º de referência desta obra no nosso catálogo: **84. 511**

Este livro foi publicado graças à colaboração de: *Anabela Mesquita* (adaptação), equipa de editoração *Pergaminho* (revisão), *Rogério O. Moura* (produção gráfica), *Patrícia Gomes* (paginação) e *Gráfica 99* (fotolitos).

Este livro foi impresso pela
Rolo & Filhos — Artes Gráficas, Lda.

Dep. Legal n.º 193046/03

Se desejar receber gratuitamente

Pergaminho ⓘ informa

Solicite-o para o apartado 95 – 2766-902 ESTORIL CODEX

Surpreenda-se consultando a nossa homepage:
www.editorapergaminho.pt